Ballada
o ciotce Matyldzie

Magdalena Witkiewicz

Ballada
o ciotce Matyldzie

Wydawnictwo
Nasza Księgarnia

Layout i projekt okładki *Olga Reszelska*
Zdjęcia na okładce:
© iStockphoto.com / Joey Boylan
© iStockphoto.com / Antagain

Zdjęcie autorki *Kamil Wyroślak*

Dziękujemy Andrzejowi Sikorowskiemu, Janowi Hnatowiczowi i Grupie pod Budą za piosenkę *Ballada o ciotce Matyldzie*, która stała się inspiracją do stworzenia tak ważnej dla tej książki postaci – ciotki Matyldy, stanowczej starszej pani o czarującym uśmiechu, którym potrafiła sobie wszystkich zjednać.

Autorka i Wydawnictwo „Nasza Księgarnia"

Pamięci czterech wspaniałych kobiet:
moich babć, Janiny Samulewskiej i Jadwigi Krajewskiej,
oraz cioć, Ewy Węgorzewskiej i Magdaleny Pałkowskiej

Wstęp

Wszystko zaczęło się od tego, że ciotka Matylda postanowiła umrzeć. Nikt nie wątpił, że była to jej świadoma decyzja. Ciotka nie należała do tych, którzy godzą się z losem i przyjmują na siebie, co dla nich zaplanowano, nawet jeżeli zrobił to Najwyższy, o nie! Ciotka Matylda zwykła sama o wszystkim decydować. Była stanowczą starszą panią. Aż dziwne, że ta niewysoka i drobna kobieta potrafiła sobie zjednać każdego i czarującym uśmiechem załatwić najtrudniejszą sprawę. Nawet tę nie do załatwienia...

Zawsze wiedziała, czego chce, i nikt, kto ją znał, nie śmiał się jej woli sprzeciwiać. Dlatego też wszyscy byli pewni, że gdy śmierć zapuka do drzwi, aby zabrać ciotkę na drugą stronę, ta uśmiechnie się, ugości ją, jak tylko będzie mogła, napoi, nakarmi domowymi ciasteczkami, i dopiero gdy załatwi wszystkie niecierpiące zwłoki (och, cóż za gra słów!) sprawy życia doczesnego, weźmie na kolana swojego kota i stwierdzi, że jest gotowa, by odejść.

Ciotka Matylda do niebieskich kroczy bram
Już podoba jej się tam
I na Pana woła głośno: wpuść mnie Pan!

MAGDALENA WITKIEWICZ

Ciotka Matylda ma koronę z papilotów
I pod pachą taszczy kota
Przecież biedak nie mógł zostać całkiem sam.

---

* *Ballada o ciotce Matyldzie* z repertuaru Grupy pod Budą, słowa Andrzej Siko-
rowski, muzyka Jan Hnatowicz.

Nieco wcześniej

— Słuchaj, gdybyś przypadkiem rodziła, kiedy umrę – powiedziała ciotka Matylda – to zrozumiem, że na pogrzeb nie przyjdziesz. Bez nerw. Nic na siłę. – Zaciągnęła się cienkim mentolowym papierosem. – Mnie już wtedy będzie doprawdy wszystko jedno. Nie musisz się zrywać z tego łóżka. Będziesz przecież miała co robić. Jeśli umrę później, to też małej nie ciągaj. Jeszcze się w życiu okropności naogląda, więc po co?

— Małego. – Joanna odruchowo poprawiła ciotkę, głaszcząc się po brzuchu, który stał się już tak wielki, że nie dało się go porównać do niczego. Wszyscy mówili, że będzie chłopak. Nawet lekarz się z nią o dobry koniak założył. Wmawiali, wmawiali, to w końcu uwierzyła. – Chłopak będzie. Jaś, ciociu – dodała z przekonaniem.

— Ee, jaki chłopak? – Matylda wzruszyła ramionami. – Co ty tam, dziecko, wiesz. – Uśmiechnęła się. – Kobieta będzie. Piękna i zdecydowana kobieta. – Zmrużyła oczy i popatrzyła gdzieś w dal. – Jak będzie dziewczyna, nazwiesz ją Matylda?

Joanna znała dużo ładniejsze imiona, szczególnie dla swojej potencjalnej córki (mimo że będzie syn!), zatem spojrzała z przerażeniem na ciotkę, na jej śmiejące się jasnobłękitne oczy, otoczone kurzymi łapkami, i pogodną starą twarz. Matylda swoje siwe, wręcz białe włosy spinała w zgrabny koczek z tyłu głowy, który z przodu podtrzymywała apaszką pełniącą funkcję opaski. Tych apaszek miała kilkadziesiąt. Wszystkie równo złożone i ukryte za drzwiami ciężkiej komody w salonie.

– Matylda? – jęknęła Joanna. – Ale...

– Przecież i tak będzie chłopak. – Ciotka mrugnęła do niej zawadiacko. – To co ci szkodzi obiecać? Starej kobiecie nie obiecasz? – Znowu zaciągnęła się papierosem. – Myślisz, że tam, u góry – wskazała dłonią sufit – mają mentolowe? Chyba mają, co? Bo bez tego co to byłoby za niebo? To jak? Co z Matyldą?

– Dobrze, ciociu, może być Matylda. – Joanna machnęła ręką, po raz pierwszy zastanawiając się, co będzie, jeśli lekarz się pomylił. – Obiecuję...

– No to świetnie. Pamiętaj: koniecznie Matylda. Jedna Matylda się rodzi, druga umiera, w przyrodzie nic nie ginie. Liczba Matyld musi być stała. No, chyba że znowu krowę nazwą Matyldą. Kiedyś w Kurzętniku nazwali. Tadek był niepocieszony... Wstyd chyba mu było. – Wypuściła dym nosem, a popiół z papierosa strzepnęła do srebrnej popielnicy, która zawsze znajdowała się w zasięgu jej ręki. – A więc przejdźmy do konkretów. Zrób mi herbatki, Joanko. I przynieś koniaczek, naleję sobie łyżeczkę.

Zamknęła oczy. Dziewczyna nie wiedziała, czy ciotka zasnęła, czy tylko rozmyśla. Matylda zwykła była mawiać, że

„patrzy w siebie". Gdy Joanna była mała, wielokrotnie próbowała „patrzeć w siebie", nigdy jednak niczego nie wypatrzyła. Może do tego trzeba po prostu dorosnąć.

Wstała z niemałym trudem – przez ciężki brzuch z zawartością w postaci małej Matyldy, tudzież Jana – i otworzyła barek. Te łyżeczki koniaczku były słynne w całej rodzinie. Ciotka brała zwykle łyżeczkę, przytrzymywała ją nad szklanką herbaty i lała, lała, lała, a koniak spływał po łyżeczce tak długo, jak długo ciotka chciała. Tak było i tym razem.

– Posłuchaj, kochana. Jak już mówiłam, czas przejść do konkretów. Ja ci zapiszę mój biznes. – Upiła łyk herbaty z prądem. – Za mocna. Musimy zdążyć pogadać, zanim wypiję. Bo potem też powiesz, jak pozostali, że bredzę. Ale dzięki temu mogę się ze sobą popieścić. – Uśmiechnęła się filuternie i okryła plecy pomarańczowym szydełkowym szalem. – Ja się ze sobą pieszczę, a inni o mnie dbają. Czasem to nawet jest fajne.

– Biznes? – Joanna poczuła kopnięcie Jasia; była pewna, że to Jaś. Chyba że, nie daj Boże, Matylda. Przecież w domu wszystko już niebieskie, przygotowane na przyjęcie chłopca, to gdzie Matylda? – Jaki biznes? – zapytała.

– Mam taki... hm... sklepik... No nie patrz tak na mnie. Jak reszta rodziny... Czy ja nie mogę mieć własnego biznesu? – Rozkoszowała się tym słowem. – Co, może jestem gorsza? – Wyciągnęła z paczki kolejnego papierosa. – Słuchaj, a może w niebie te papierosy nie będą takie szkodliwe? – Zaciągnęła się z lubością. – Zresztą czy na ziemi są? Osiemdziesiąt siedem lat na karku, a w sumie nic mi nie jest. Palę paczkę dziennie, czasem wypiję trochę koniaczku… Co prawda tylko łyżeczkę, ale zawsze… Poza tym… Jedynie czuję się już nieco zmęczona. Czas odpocząć. – Wzruszyła ramionami. – To wszystko. A biznes muszę komuś przekazać.

– Tak, ciociu. – Joanna zaczęła się zastanawiać, na ile prawdziwe były plotki o niezbyt dobrej formie ciotki Matyldy. Mówili, że zapomina, że wszystko jej się miesza, że twierdzi, iż jest właścicielką intratnego biznesu. Czasem nawet wyzywała najbliższych od matołów, martwiąc się, że po jej śmierci interes upadnie.

Rodzina nie wierzyła w żaden biznes. A tym bardziej intratny.

– Demencja starcza – szeptali z politowaniem. – Nieszkodliwe majaki staruszki – dodawali z pobłażliwym uśmiechem.

– To nie demencja, kochanie. – Matylda jakby czytała jej w myślach. – Mam interes i dwóch uroczych wspólników. Olgierda i Przemysława. Złoci chłopcy. Pamiętasz ich może? Nie wiem, czy mieliście okazję się poznać, ale na pewno ci o nich wspominałam… Znam ich od dziecka… Przyjdą do ciebie dość szybko. Jak tylko umrę. Powiedziałam im, że mają cię znaleźć i wszystko z tobą ustalać. Chłopcom możesz ufać. Jeżeli będziesz miała problem, to Oluś i Przemuś zawsze pomogą. Obiecali to kobiecie na łożu śmierci.

– Ciociu, jakie łoże śmierci, jaki biznes? – Dziewczyna była coraz bardziej zdezorientowana.

– Jakie łoże śmierci? O, takie. – Wskazała kanapę. – Musiałam mieć pewność, że chłopcy przyrzekną opiekę nad tobą, więc ułożyłam się na nim dla lepszego efektu. Dziecko, ten twój mąż mało się tobą zajmuje, potrzebujesz opieki...

– On pływa... – Joanna spuściła głowę. Piotr, jej mąż, faktycznie pływał. A że upodobał sobie jednostki badawcze, przebywające tam, gdzie kompletnie nie ma łączności ze światem, był na ogół dość trudno osiągalny.

– Tak, on pływa, a ty sama... Z Matyldą... – Ciotka pokiwała głową z dezaprobatą.

– Z Jasiem...

– Niech ci będzie. Z Jasiem. – Pogłaskała kota. – Ty, Frędzlu, też miałeś być kotem. A jesteś kocicą. No, ale mimo to zostałeś Frędzlem. Matylda Jasiem nie zostanie. Prawda, kotku?

Frędzel zamruczał, a w zasadzie zamruczała, twierdząco.

– Ale, ale, miały być konkrety. Bądź, dziecko, konkretna, bo nie zajdziesz daleko. W moim biznesie konkretni są chłopcy.

– Oluś i Przemcio... – przypomniała Joanna.

– Właśnie. Oluś i Przemcio. Złote chłopaki. – Matylda łyknęła herbaty. – Dość tego picia. Wiesz co? Anna nie pozwala mi pić. Jakby jeszcze cokolwiek mogło mi zaszkodzić, phi. Powinna się cieszyć, że wciąż coś mnie w życiu porywa. Na przykład koniaczek. W domu zawsze miałam koniaczek, a teraz muszę po kryjomu wlewać sobie tę łyżeczkę... Mówiłam

Annie, że starych drzew się nie przesadza. A ta przyjechała
i zabrała mnie z domu. Bo niby ona rodzina najbliższa, a ja już
stara jestem... Jaka najbliższa rodzina? Mojego męża kuzynki
córka. Ja myślę, że ona zamierzała się mojego majątku do-
chrapać... Nigdzie nie chciałam jechać. Mimo że w Nowym
Mieście zawsze byłam obca. „Ta Matylda zza Buga" – mówili.
A może lepiej, że jak umrę, to ktoś mnie znajdzie? I Frędzlem się zaopiekuje... Podpal mi papierosa, drogie dziecko. To
już trzeci chyba, no ale co z tego, prawda? Mnie już nic nie
zaszkodzi. No, ale Matylda... – Spojrzała na brzuch Joanny
i zamarła na chwilę. – Tak, Matylda może być niezadowolona.
Nie poprawiaj mnie, Joanko. Zostawmy te papierosy. – Westchnęła z nieukrywanym żalem. – Wiesz, gdzie kiedyś było
kino? To na rynku?

– Tam gdzie twoje krawieckie imperium?

– Dawne dzieje... – Ciotka się uśmiechnęła. – Zresztą jakie tam imperium. W każdym razie w tym lokaliku Oluś
z Przemciem prowadzą teraz sklep. Zawsze ich lubiłam i dawno temu, kiedy jeszcze prawie nic nie zarabiali, zawarliśmy
umowę, że płacą mi procent od dochodów. Wiesz, taki czynsz.
Na początku to nie były duże pieniądze. Ale ostatnio – rozmarzyła się – na koniaczek starcza, na papieroski... I kupiłam
coś Matyldzie. Żona Przemcia wybierała. – Znowu spojrzała
wnikliwie na Joannę, a raczej na jej brzuch. – Poczekaj, dziecko, podam ci.

Wstała z fotela. Niezadowolona Frędzel zeskoczyła w ostatniej chwili. Staruszka zgrabnie podeszła do komody i wyjęła z niej pakunek sporych rozmiarów.

– Proszę, kochanie. To dla Matyldy. – Z trudem podniosła torbę.

Joanna zajrzała do środka.

– Ciociu... Różowe? – Wyobraziła sobie Jasia w różowych ubrankach. „Boże, chłopakowi psychika się zwichruje – przemknęło jej przez głowę. – No nic. Poradzimy sobie z tym".

– Dla dziewczynki? Jasne, że różowe. Żona Przemcia kupiła najpiękniejsze.

Joanna chciała coś powiedzieć, ale ciotka uciszyła ją gestem.

– Co do biznesu, to będziesz miała dwadzieścia procent. Chłopcy mają trochę więcej. Musisz mi tylko obiecać, kochanie, że tego nie sprzedasz. – Spojrzała na dziewczynę. – Obiecujesz?

– Obiecuję – przytaknęła Joanna. Cóż miała robić.

– To dobrze. Wiesz, nie odmawia się człowiekowi na łożu śmierci. – Ciotka machnęła ręką w kierunku kanapy. – Będziesz miała trochę własnych pieniędzy. Wiem, rybko, że ten twój Piotrek zarabia dużo, ale kobieta powinna być niezależna. Chociaż trochę. Uwierz mi, coś o tym wiem. – Z jej ust wydobył się dym o zapachu tytoniu i mięty. – Nie ma to jak niezależność... – Joanna przysięgłaby, że ciotka zachichotała.

– No dobra. – Wypiła duszkiem zimną już herbatę z koniakiem. – Pamiętaj, Joanko. Obiecałaś mi dwie rzeczy. Matyldę

– wskazała brzuch dziewczyny – i to, że biznesu nie sprzedasz. Nie musisz go prowadzić. Najlepiej w ogóle się nie wtrącaj, chłopaki sobie poradzą. Możesz zresztą założyć inny. Ty masz taką iskrę w oczach... Ciebie pieniądze lubią. – Westchnęła. – Szkoda tylko, że małej już nie zobaczę. – Zamyśliła się. – Ale kto wie, może tam z góry wszystko widać. – Pogłaskała kota. – Frędzla chyba jednak zabiorę ze sobą, przecież nie zostanie sam z tą Anną...

Ciotka Matylda większą część swojego życia spędziła w Nowym Mieście Lubawskim, miasteczku nad Drwęcą, liczącym niewiele ponad dziesięć tysięcy mieszkańców.

„Ta Matylda zza Buga", nazywali ją miejscowi. Po wojnie Tadeusz Brzeziński, weterynarz zza Buga, dostał nakaz pracy w Nowym Mieście i razem z młodą żoną oraz całym dobytkiem spakowanym w kilka walizek przeprowadził się nad Drwęcę.

Dzieci nie mieli. Widocznie los tak chciał. Nie kłócili się przez to z Bogiem. Żyli w zgodzie ze sobą i z całym światem.

Tadeusz odszedł dobre trzydzieści lat temu i Matylda została sama. Sama, ale nie samotna.

Miała przyjaciół. A w zasadzie przyjaciółki. Chodziły na spacery do Łąk, pobliskiej wioski, a latem kąpały się w jeziorze w Partęczynach. Gdy zdrowie dopisywało, nawet jeździły na rowerach. Co wtorek i piątek obowiązkowo bywały na targu. Wiosną i latem wracały z naręczami kwiatów, które sprawiały, że życie stawało się jeszcze piękniejsze.

Ciotka zawsze dobrze wyglądała. Uczesana, umalowana. Dbała o każdy szczegół garderoby.

– Jak cię widzą, tak cię piszą – mawiała. – Gdy byłam młoda, musiałam ładnie wyglądać, bo nie było wiadomo, w której godzinie życia spotkam przyszłego męża. A teraz? Teraz trzeba ładnie wyglądać dla wrogów. Aby nie mieli się do czego przyczepić.

Matylda nie miała jednak wrogów. Była szczęśliwa. Potrafiła znajdować radość w drobnych rzeczach. Cieszyła się każdą mijającą chwilą.

Żyła z emerytury – niezbyt może wysokiej, lecz wystarczającej. Kiedy była młodsza, zajmowała się szyciem. „Szyciem artystycznym" – podkreślali ci, którzy zadowoleni opuszczali jej dom, a później lokalik w kinie. Stara maszyna Singer ozdabiała koronkami suknie ślubne, szyła męskie fraki i smokingi, prześliczne sukieneczki dla małych dzieci oraz fartuszki dla ich mam. Najpierw przychodzili znajomi, potem znajomi znajomych... Tkaniny w dłoniach szwaczki ożywały, a niepozorne kobiety w jej kreacjach stawały się piękne. Ciotka Matylda stała się znana ze swoich niezwykłych umiejętności...

W połowie kwietnia 2007 roku odeszła. Tak jak żyła. Radosna, z uśmiechem na ustach. Frędzel, nieduża szara kotka, podążyła za nią.

W tym samym czasie gdy Matylda odchodziła, na świat pchał się nowy człowiek. Obudził swoją matkę o trzeciej czterdzieści pięć i dał znak, że już pora, by zwlokła się z pościeli i mu w tym pomogła.

Matka nowego człowieka jęknęła, ubrała się w jedyny strój, w który się mieściła, zabrała torbę stojącą w korytarzu już od miesiąca i co chwilę wzdychając, po prostu usiadła za kierownicą.

Gdańsk spał, a ona przemierzała ulicę za ulicą, żeby dotrzeć do szpitala na Zaspie, gdzie pracował jedyny jej zdaniem lekarz, któremu mogła zaufać. Całe szczęście, miał w sobotę dyżur. Od razu kazał jej się ubrać w koszulę nocną wielkości namiotu i udać na porodówkę.

Joanna próbowała się skontaktować z Piotrem, który tym razem był gdzieś na Pacyfiku, ale niestety, jak zwykle, okazało się to niemożliwe. Ocean Spokojny szumiał sobie w spokoju, a ona, cała w nerwach, rodziła nowego człowieka.

Nowy człowiek zdecydowanie pchał się na świat. Położna, z coraz poważniejszą miną słuchając tętna dziecka, też wreszcie zaczęła działać, gdy kolejny raz Joanna ją poinformowała, że tak naprawdę to ona „pieprzy Ocean Spokojny i swojego męża za to, co jej zrobił".

Potem wszystko odbyło się z prędkością światła. Joance niczym w *Ostrym dyżurze* kazali coś podpisać, gdzieś ją przewieźli, podali znieczulenie, po czym przecięli brzuch i wyjęli nowego człowieka.

– Dziewczynka! – krzyknęła położna.

– Matylda! – szepnęła zdziwiona i wymęczona Joanka.

– Matylda! – powiedziała z uśmiechem ciotka Matylda, która właśnie częstowała świętego Piotra domowymi ciasteczkami u bram raju.

– Miauu – miauknęła kotka, która dzielnie dotrzymywała jej kroku.

Gdańsk, 12 czerwca 1998 r.

Kochana ciociu!

Ledwie wyjechałaś, a już za Tobą tęsknię. Mówiłaś, że nikt nie zastąpi mi Matki ani Ojca, ale... prawie Ci się to udało. Tylko Ty rozumiesz, jak ciężko było mi po wypadku. Wiem, że Tobie też nie jest łatwiej.

Nie potrafię mówić o tym, co się stało. Najchętniej udawałabym, że nic się nie zmieniło. Że nigdy Ich ze mną nie było... Wszystko dlatego, że bałam się, że coś we mnie pęknie i nie dam rady się pozbierać. Ale wiem, że słyszałaś w nocy mój płacz. Gdy przychodziłaś, udawałam, że śpię. Nie mogłam o tym z Tobą rozmawiać. Nawet z Tobą...

Tyle razy zadawałam sobie pytanie, dlaczego akurat ja zostałam sierotą. Przecież tak Ich potrzebuję. Bez Nich czuję się bardzo nieporadna. Za chwilę matura, potem studia. Nie zdążyłam nawet zapytać Taty, jak żyć... Pewnie sama powinnam to wiedzieć...

Ale nie wiem.

Czuję się bardzo samotna. Rozumiem jednak, że trzeba żyć dalej. I skoro zadecydowałyśmy, że powinnam mieszkać sama, to będę. Nie pakuj się zaraz i nie przyjeżdżaj. Dam sobie radę!

Wiesz, że nigdy nie musiałam się martwić o pieniądze. Zawsze były. Teraz zaczynam. Owszem, są oszczędności rodziców, renta, ale bardzo się cieszę, że ciągnęłam te korepetycje, mimo iż tyle razy już miałam z nich zrezygnować.

Wszystko będzie dobrze, prawda?

Kocham Cię.

Joanka

PS Zostawiłaś chustę. Przywiozę ją następnym razem.

Nowy człowiek na świecie

W czasie gdy kotka przechodziła przez bramę, ocierając się o nogi świętego Piotra, Joanka próbowała nakarmić małe, dość rozkrzyczane stworzenie boże. Głowę stworzenia zdobiły bujne włoski, a kiedy nie miało ust zatkanych matczyną piersią, darło się wniebogłosy.

W końcu zasnęło i młoda mama mogła trochę odetchnąć. Ledwo jednak zdążyła zamknąć oczy, skrzypnęły drzwi szpitalnego pokoju i do środka wbiegła kobieta w białym fartuchu.

– Ma pani gościa – zwróciła się do Joanki. – Mąż przyjechał.

– Mąż? – Joanka z niechęcią otworzyła jedno oko. Akurat delektowała się tą rzadką chwilą ciszy, kiedy jej pierworodna spała, a tu jakiś intruz w postaci pielęgniarki wchodzi i wygaduje niestworzone rzeczy! Od trzydziestu sześciu godzin, czyli odkąd jej córka wydostała się na świat, nie zaznała zbyt wiele spokoju...

Mała Matylda w pierwszych minutach swojego życia nie chciała spać. Nie płakała, nie spała, tylko wzywała swoją matkę donośnym rykiem: „E!".

„E!" znaczyło w języku Matyldy nic innego jak tylko to, że powinna natychmiast dostać coś do jedzenia, a najlepiej matczyną pierś bądź butelkę z białym cudownym płynem zwanym mlekiem.

– E! – wołała Matylda.

– Ech – wzdychała młoda mama, tuląc dziecko do piersi. Teraz też westchnęła.

– Nie mam męża – stwierdziła półprzytomnie. – To znaczy mam, ale na morzu. Jest daleko i nie przyjedzie. Na jakichś Wyspach Gambiera czy czymś takim...

– To źle... – wymamrotała położna. – Bo tam czeka jakiś pan. A w zasadzie dwóch... Identycznych. I oni się chyba nie mogą dogadać, kto jest ojcem. Co za czasy... – Westchnęła i spojrzała z dezaprobatą na młodą matkę. – Pani do nich idzie córkę pokazać.

Joanna nie wiedziała, co myśleć. Z tego co pamiętała (a pamięć miała całkiem niezłą), ojciec był jeden i aktualnie badał zieloną oceaniczną wodę czy jakieś skały z niej wystające. Z trudem wstała z łóżka i delikatnie przesuwając wózek ze śpiącą – o dziwo – Matyldą, udała się do pokoju odwiedzin. Na szczęście znajdował się on w pewnej odległości od sal dla przyszłych matek, dzięki czemu Joanka nie musiała oglądać tych wszystkich zakochanych tatusiów, którzy liczą skurcze, gdy ich żona rodzi. I trzymają za rękę. I wspierają. I masują po plecach. I nie szukają skał w morzu. Ani innych żywych bądź nieżywych organizmów.

W sali odwiedzin czekało tylko dwóch panów. To właśnie byli goście Joanny. Ubrani w dresy, charakteryzowali się brakiem włosów oraz szyi. Podeszła do nich nieśmiało.

– Uszanowanie! – Pierwszy rzucił się całować dłoń Joanki.

– Uszanowanie! – z sekundowym opóźnieniem krzyknął drugi i złapał jej drugą rękę.

Dziewczyna ze zdziwieniem spojrzała na dwóch potężnie zbudowanych mężczyzn, których głowy błyszczały w świetle szpitalnych reflektorów.

– Jesteśmy Oluś i Przemcio. Pewnie nas nie pamiętasz – stwierdził ten odrobinę wyższy. – To znaczy ja jestem Oluś, a to mój młodszy brat...

– Młodszy o pięć minut – przerwał mu Przemcio.

– O pięć minut, ale zawsze. – Oluś wzruszył ramionami. – No i niższy.

– Oj tam, zaraz niższy. Jedynie o pięć centymetrów – zaprotestował Przemcio. – Ale za to żonaty. – Pokazał palec z obrączką. – Szczęśliwie żonaty – podkreślił. – Ale dość tego przedstawienia. Mam coś. Pati wybierała. Moja żona. – Wręczył Joannie pakunek w różowe kotki.

Stała oszołomiona. Olusia i Przemcia kojarzyła z opowiadań ciotki, lecz chyba do tej pory nie miała przyjemności...?

– Dziękuję, ale... Ja nadal nic nie rozumiem. – Joanka odłożyła prezent i sięgnęła po Matyldę, która zaczęła domagać się uwagi.

— Ja ją wezmę. Mam wprawę. — Przemcio wyciągnął ręce po dziewczynkę. Młoda matka nie zdążyła nawet zaprotestować.

— Przemcio wie, jak postępować z kobietami. — Oluś powstrzymał Joannę, która zamierzała spróbować wyrwać córkę z rąk wielkiego łysego faceta. Na dodatek bez karku. — Ma w domu trzy kobiety. I daje radę.

— Pati, Pola i Pelasia — wymienił Przemcio, bujając Matyldę, która wydawała się bardzo zadowolona. — Miał być Piotr. Ale wyszła Pelasia. Pelagia — po babuni. Bo wie pani, u nas wszyscy na „P". Będziemy się starać o syna i doprawdy się boimy, bo jak będzie kolejna dziewczynka, to na „P" zostały chyba tylko Penelopa albo Pamela. Ale żadne z nich mi się nie podoba. Jeszcze Pamela to tak, ale moja żona nie lubi. Zupełnie nie rozumiem dlaczego. Pati przez tę Pamelę nawet próbuje mnie zniechęcić do działania. Ale przecież po pracy człowiek chce się do żony przytulić, nie? Tym bardziej że taka praca... Człowiek się napatrzy...

— No, Przemuś, ale my tutaj nie o pracy... Jesteśmy, bo pani starsza nas prosiła...

— Ciotka? — zapytała Joanna, wciąż wodząc oczami za Matyldą w ramionach barczystego osiłka, który właśnie zaczął podśpiewywać jej *Aaa, kotki dwa*.

— Bo my mamy list dla pani. — Wręczył Joance kopertę. — Oprócz tego mamy wodę. Sześć butelek. Po porodzie trzeba dużo pić. Pati też miała cesarkę. Dwa razy. Z Polą i Pelasią.

I piła tak, że nie nadążałem z noszeniem. Oluś też nosił. Bo inaczej łeb boli potwornie, jak się nie pije. Pati mówiła, że coca-cola pomaga. Na ten łeb. Ale ja tam nie wierzę w takie wynalazki.

Joanna włożyła butelki pod wózek z Matyldą i pełna złych przeczuć wzięła do ręki list. To, że ciotka nie odbierała telefonu, jej nie dziwiło. Ciotka miewała swoje humory. Czasem nie chciała z nikim rozmawiać. Nawet z nią. Siedziała w bujanym fotelu przykryta kocem, głaskała Frędzla i wpatrywała się w dal.

– Patrzę, co mi los przyniesie – mawiała wtedy. – Stoi za rogiem i się uśmiecha. Do tej pory był łaskawy. Całe moje życie był łaskawy. Prawda?

Ciotka Matylda zawsze miała szczęście. We wszystkim, co ją spotykało, widziała jakiś cel. Potrafiła znaleźć pozytywny aspekt w każdej sytuacji.

– I zastaliśmy ją na tym fotelu… uśmiechała się… – Łamiący się głos Olusia wyrwał Joannę ze wspomnień. – Naprawdę wyglądała na szczęśliwą.

– To znaczy – Joanna poczuła ukłucie w sercu – to znaczy, że nie ma jej już z nami? – Oczy dziewczyny się zaszkliły.

– Jest w naszych sercach. Starsza pani szanowna, świętej pamięci, zawsze będzie w naszych sercach – zapewnił Przemcio, podając Joance paczkę chusteczek.

Joanna przytuliła małą Matyldę i pomyślała o tym, co ciotka jej kiedyś powiedziała: „Moje dziecko… Tak to w życiu bywa, że jedni odchodzą, a inni przychodzą. Ci, co odchodzą, robią miejsce następnym. Na mnie też przyjdzie pora. Już niedługo. Pomogłam ci stać się dobrym człowiekiem. Dasz sobie radę w życiu. Tego jestem pewna. Kieruj się sercem i polegaj na dobrych ludziach. Takich na świecie wcale nie brakuje. I nie płacz, gdy odejdę. Nie warto. Ja będę szczęśliwa tam, u góry. Kota ze sobą zabiorę, wiesz? Żeby było mi raźniej".

– Jedni przychodzą, a inni odchodzą, myszko – wyszeptała Joanka do ucha małej Matyldy. – Ale tak trudno nie płakać... – Otarła oczy. – Widocznie tak miało być. Teraz zostałyśmy zupełnie same.

– Masz przecież nas. – Przemcio najwyraźniej uznał, że zażyłość z Joanką stała się na tyle bliska, że nie trzeba już do niej mówić per pani. – Obiecaliśmy to starszej pani szanownej, świeć, Panie, nad jej duszą. – Obaj mężczyźni wznieśli oczy ku niebu.

– Przepraszamy, że przynosimy takie wieści. Ale starsza pani szanowna nas o to prosiła... – powiedział Oluś.

– Przyjdziemy też jutro. A jakbyś czegoś potrzebowała, to dzwoń. – Przemcio napisał swój numer telefonu na kopercie z listem ciotki i wycałował Joankę na pożegnanie. Brat natychmiast poszedł w jego ślady, po czym zostawili Joankę z córeczką.

Dziewczyna odłożyła śpiącą Matyldę do wózeczka, przykryła ją kocem i wyciągnęła z kieszeni szlafroka różową, pachnącą perfumami kopertę. Dobrze, że była sama w pokoju odwiedzin. Nikt jej nie przeszkadzał w czytaniu ostatnich słów ciotki.

Gdańsk, 30 marca 2007 r.

Kochanie!

Jeżeli czytasz ten list, znaczy, że jestem już gdzie indziej. Niedaleko. Tuż przy Tobie. Nie odeszłam, bo wiesz, że zawsze będę blisko. Ale czasem trzeba coś zmienić w życiu. Albo zmienić życie. U mnie nadszedł czas na zmianę... I wiesz? Cieszę się z niej!

Tyle rzeczy chciałabym Ci napisać. W tym życiu napisałyśmy do siebie już wiele słów, a teraz pustka. Zastanawiam się, od czego zacząć. Marzyłam, byś stała się taka, jaka jesteś. A marzenia się spełniają. Wiesz o tym.

Bądź szczęśliwa. Otaczaj się dobrymi ludźmi. Wielu jest takich wokół. Dawaj dobro, a dostaniesz je z powrotem. Ono zawsze wraca...

I pamiętaj. Wystarczy tylko chcieć. A można góry przenosić. Kocham Cię.

Matylda

PS Ten list przekazuję Ci za pośrednictwem moich chłopaków. Znam ich prawie od urodzenia. Oluś i Przemcio to dobrzy ludzie. Na nich możesz polegać. Pamiętaj o tym.

Dobrzy ludzie

Dobrzy ludzie, którzy objawili się Joannie w postaci Olusia i Przemcia, wyszli ze szpitala z niewesołymi minami.

Niewesołe miny braci spowodowane były Joanką, a dokładniej jej fatalną sytuacją małżeńską i samotnością. No bo jak tu nie podtrzymywać na duchu żony? Gdy Pati rodziła, Przemcio nie odstępował jej na krok. Nie zważał na wyzwiska, jakie mu serwowała, mimo że co rusz zastanawiał się, skąd ta rynsztokowa mowa w jej ustach. Stał niewzruszony niczym skała, głaszcząc swoją żonę, gdy o to prosiła, i usuwając się w porę, gdy miała ochotę mu przyłożyć. To właśnie jest miłość. A nie jakieś Wyspy Gambiera, Spitsbergen czy gdzie tam ten jej mąż przebywa.

– A może byśmy obili mu twarzyczkę? Obijemy mu twarzyczkę, to popamięta.

Przemcio otrząsnął się z zamyślenia na dźwięk głosu brata.

– Ale jak go dorwiesz? Toć on na morzu. Kajakiem tam nie dopłyniesz.

Oluś zmarszczył czoło.

– No nie – zasępił się. – Ale jak wróci?

– Jak wróci, możemy mu obić.

– No właśnie. – Oluś się ucieszył, ale zaraz i opamiętał. – Tylko co jej po takim obitym mężu? W ogóle co jej po mężu? Skoro nie ma go tutaj, to tak jakby go w ogóle nie było. Co z oczu, to z serca, szanowna pani starsza, świeć, Panie, nad jej duszą – wzniósł oczy ku niebu – tak mawiała. W każdym razie musimy dziewczynom pomóc. Jak tylko uporamy się z pogrzebem, pójdziemy do nich znowu.

– Szanowna pani starsza nie chciała hucznego pogrzebu – przypomniał Przemcio.

– Nie. Ale skrzypka załatwimy. Pamiętasz? Podobało jej się, kiedy u ciebie na weselu grał skrzypek.

– No ale to pogrzeb będzie. A ten skrzypek to repertuar weselny ma… – stwierdził ze smutkiem Przemcio.

– Co za różnica? Czy ty myślisz, że szanownej pani starszej, świeć, Panie, nad jej duszą, będzie fajnie jakichś smutnych pieśni słuchać? To wesoła kobieta była. Nic może być nic smutnego. I żadnych wieńców żałobnych. Będziemy stać nad grobem, trzymać świeże kwiaty i pić z nią kawę. Ona by tak chciała.

– Ale co z szacunkiem? Przecież skrzypek nie zagra na cmentarzu *Majteczek w kropeczki*.

– Coś wymyślimy, Przemcio. Co dwie głowy, to nie jedna – oznajmił Oluś, klepnął brata w ramię, po czym wsiedli obaj do czarnego bmw z mocno przyciemnionymi szybami i odjechali.

Ciotka Matylda poznała Olusia i Przemcia (zawsze chodzili we dwóch) dobre dwadzieścia pięć lat temu, w momencie gdy siedziała w fotelu i ucinała sobie popołudniową drzemkę. Nagle do pokoju wpadła piłka, czemu towarzyszył brzęk rozbijanej szyby. Piłka uderzyła ciotkę w głowę. Matylda obudziła się i poczuła dym. Żarzący się papieros, upuszczony przez nią na podłogę, zdołał już wypalić w dywanie sporą dziurę. Ciotka szybko zerwała się z fotela i kocem zgasiła ogień.

– Dzięki Bogu, że ta piłka tu wpadła! – westchnęła. – Dzięki Bogu! Anieli mi ją chyba podrzucili! Doprawdy, anieli! – zawołała na głos.

„Doprawdy, anieli" stali właśnie przed drzwiami, ustalając, który z nich zapuka i przeprosi za rozbitą szybę. Piłka była pożyczona, musieli więc ją odzyskać, jeżeli nie chcieli mieć kłopotów. W przeciwnym razie być może zwialiby gdzie pieprz rośnie...

– Ty pukasz. Jesteś starszy – szepnął umorusany chłopiec do drugiego, jeszcze brudniejszego.

– Ale młodszy ma pierwszeństwo – również szeptem odparł ten drugi. – A poza tym skoro ja jestem starszy, mogę ci nakazać – dodał.

To przekonało młodszego. Obciągnął krótkie spodenki, poprawił koszulkę, otrzepał kolana i zapukał.

Po chwili drzwi się otworzyły.

– My przepraszamy – wymamrotali chórem, spuszczając głowy.

– Dzieci drogie, życie mi uratowaliście! – Matylda chwyciła chłopców w objęcia. – Wejdźcie do środka! – Niemal siłą wciągnęła ich do mieszkania.

Oluś i Przemcio wietrzyli podstęp. Łypali na siebie spode łba, nie wiedząc, co o tym wszystkim myśleć.

– Jesteście pewnie głodni? – zapytała, gdy nieśmiało przycupnęli na taboretach przy kuchennym stole.

– No, trochę... – szepnął Oluś. Przemcio zmroził go wzrokiem.

– Ręce myć, rosołu wam dam – oświadczyła ciotka Matylda.

– To ja poproszę bez pietruszki – wydusił z siebie Przemcio.

– A ja bez marchewki – dodał Oluś.

– A nie będzie pani na nas krzyczała? – zapytał starszy brat.

– I nie powie pani tacie? – Młodszy spojrzał na Matyldę wyczekująco.

– Powiem! – odpowiedziała głośno. – Jasne, że powiem!

– Ech... – jęknęli obaj. – Wiedzieliśmy...

– Dzieci drogie, przecież wy mi chałupę uratowaliście! Zasnęłam, papieros spadł, dywan zaczął się palić, gdyby nie wy, marnie by to wyglądało. Obudziliście mnie tą piłką! Od razu się otrząsnęłam!

– A szyba? – wymamrotali chłopcy.

– Szyba nieważna. Wstawimy. Mało to szklarzy? – Matylda wzruszyła ramionami. – Dla mnie jesteście prawdziwymi bohaterami!

Prawdziwi bohaterowie spojrzeli na siebie niepewnie. Jeszcze nikt ich nigdy tak nie nazwał. Słyszeli już dużo. Najczęściej powtarzały się słowa „diabeł wcielony" i „ancymon". Ale bohatera na pewno nie było. Tym bardziej prawdziwego.

Od tego czasu bracia przychodzili do ciotki bardzo często. To ona wiedziała o ich dwójach w szkole, o rozczarowaniach życiem i pierwszych miłościach. Pomagała im w matematyce, wspólnie czytali lektury.

To z nią rozmawiali na temat wyboru dróg życiowych, to jej pierwszej Przemcio przedstawił młodziutką Patrycję, dziewczynę zapatrzoną w niego jak w obrazek.

Wtedy też podzielił się z Matyldą pomysłem na biznes.

– Patrycja tego nie chce – zaczął. – Mówi, że całe miasto będzie o nas gadać.

– Nie chcę, pani Matyldo. Mama w życiu nie pozwoli mi się spotykać z Przemciem!

– Baby to tylko kłopoty – mruknął Oluś. Przemcio zacisnął pięści.

– Cicho, już cicho – uspokoiła go Patrycja. – On tak naprawdę nie myśli. – Pogładziła Przemcia po kolanie.

– Powiem, o co chodzi – zaczął Oluś. – Bo my tu chcemy zrobić sklep. Ale inny. Nie taki, jakie już są. I potrzebujemy wsparcia. Wiemy, że ma pani w tym starym kinie, w rynku, pomieszczenie. Czy nie moglibyśmy go odremontować i od pani wynająć?

Matylda się zamyśliła.

Pomieszczenie w rynku było kiedyś jej pracownią krawiecką. Za czasów swojej największej prosperity zdecydowała się na małe szaleństwo i po okazyjnej cenie kupiła od właściciela kina lokalik. Nie chciała już dłużej przyjmować klientów w domu. Zdecydowała, że trzeba oddzielić życie prywatne od zawodowego. Lata mijały, Joanka zaczęła ją namawiać na zakup nowoczesnej elektrycznej maszyny do szycia, jednak Matylda coraz częściej myślała, że chyba dość się już naszyła. Wreszcie postanowiła zwinąć interes. Zaczęła też rozważać sprzedaż lokalu, ale wciąż to odkładała. „Pomyślę o tym jutro" – mawiała niczym Scarlett O'Hara, ale do tej pory nie nadarzyła sie okazja…

– Moglibyśmy? – powtórzył pytanie Oluś.

Ciotka zmarszczyła czoło.

– Sklep? A mało ich w rynku? – zapytała.

– Takich mało… – prychnęła Patrycja. – Ale i tak za dużo.

– Kochanie… – mruknął Przemcio.

– Pokażcie mi, ile chcecie na tym zarobić – zadecydowała ciotka. – Przygotujcie liczby, plany, i z tym do mnie przyjdźcie. Liczby mówią wiele. Biznes trzeba prowadzić z sercem, ale z sercem na twardej podmurówce liczb. Jeżeli mnie przekonacie, zrobimy razem biznes.

– Ajć – jęknęła Patrycja. – Ale pani Matyldo... To sex shop! – wyrwało jej się.

Oluś i Przemcio poczerwienieli ze wstydu.

– Sex shop? – zdziwiła się Matylda. – No cóż, skoro jest na to popyt... Zastanawiające. Pokażcie mi liczby, przedstawcie plany, a ja pomyślę.

Patrycja popatrzyła na Matyldę z nieukrywanym wyrzutem, a chłopcy odetchnęli z ulgą.

Liczby Matylda dostała następnego dnia. Przedsięwzięcie zapowiadało się interesująco. Był to wariant bardzo optymistyczny, ale zdawała sobie z tego sprawę. Widziała w bliźniakach siebie sprzed kilkudziesięciu lat. Ten sam zapał do pracy, jednakowy apetyt na życie. Z takimi samymi iskrami w oczach oglądała kolorowe zdjęcia modelek w czasopismach przywożonych z Zachodu i wymyślała coraz to nowe stroje dla stałych klientek. Z identycznym zapałem patrzyła, jak mąż przywiesza szyld nad małym lokalem: „Matylda. Pracownia krawiecka". Czuła, że biznes chłopców może się udać. Kobieca intuicja? Być może.

Uśmiechnęła się. Zaczynał się nowy, ciekawy rozdział w jej życiu.

– Dwadzieścia procent – oznajmiła.

– Dwadzieścia procent? – zapytali chórem bracia.

– Dwadzieścia procent od zysku. Za wynajem nie płacicie. Chcę mieć dwadzieścia procent udziałów w spółce. I chcę być informowana o najważniejszych decyzjach. Nie będę się wtrącać, ale chcę wiedzieć! To może być miła odmiana. – Uśmiechnęła się szelmowsko. – No i trzymajcie całą sprawę w tajemnicy. Mój udział. Nie chcę, żeby ludzie gadali. Po co? Umowę zróbcie gdzieś poza miastem.

– O Boże – jęknęła Patrycja.

– No co ty, Patrycjo! – zawołała ciotka wesoło. – To będzie prawdziwa przygoda! A Boga w to nie mieszajmy! On w nieco innym biznesie siedzi!

Sklep o nazwie Słodkie Ciasteczko w miasteczku zrobił furorę. Bracia nie zdążyli jeszcze wypakować towaru, a asortyment był już w połowie wykupiony. Klienci przychodzili po kryjomu, każdy prosił o dyskrecję. Po dwóch miesiącach Oluś zapukał do drzwi ciotki Matyldy i wręczył jej sporą kopertę.

– Przemcio zaraz będzie – oświadczył. – On dziś zamyka piekarnię.

– Piekarnię? – zdziwiła się ciotka, stawiając przed nim rosół. – Skąd ta piekarnia? Nigdy nie pamiętam, czy ty bez pietruszki, czy bez marchewki.

– Bez marchewki – odparł Oluś, wciągając makaron. – No, piekarnię – podjął temat. Żona burmistrza znalazła rachunek. Była na nim nazwa Słodkie Ciasteczko. I burmistrz powiedział, że to z piekarni.

– Wiedziałam, że będzie interesująco! – Ciotka roześmiała się w głos. – Piekarnia, też wymyślili! O, Przemcio idzie. – Wstała na dźwięk dzwonka i poszła otworzyć. Po chwili wróciła do kuchni. – Pamiętam, Przemuś, że ty bez pietruszki! – oświadczyła zadowolona z siebie.

Pogrzeb ciotki Matyldy był kameralnym wydarzeniem. Tak sobie „szanowna pani starsza" życzyła. Tylko bracia Kwiatkowscy i Patrycja. Nawet ciotka Anka nie została powiadomiona. Zresztą była w tym czasie w sanatorium, jak co roku. Joanki też zabrakło. Choć pogrzeb odbywał się w Gdańsku, ona jeszcze leżała w szpitalu. Tak sobie „szanowna pani starsza" życzyła.

– Pochowajcie mnie w Gdańsku – oświadczyła im raz ciotka Matylda, kiedy jak co kwartał przywieźli jej pewną sumę pieniędzy, papierosy i koniak do herbatki. – Anka nie będzie protestować, a ja chcę, żeby Joanka miała blisko. Nie lubię robić ludziom kłopotu. – Zaciągnęła się papierosem. – No, wam trochę zrobię, ale wy sobie poradzicie. I Frędzla gdzieś blisko pochowajcie. Będzie tęskniła... Kiedy ona tęskni, tak bardzo smutno miauczy. Nie mogę jej tego zrobić.

– Nie wiem, czy *Ta ostatnia niedziela* była stosowna – wyszeptała po ceremonii Patrycja, ocierając załzawione oczy.

– Była – zapewnili chórem Oluś i Przemcio.

– Szanowna pani starsza... – zaczął Oluś.

– Świeć, Panie, nad jej duszą – dołączył Przemcio i obaj wznieśli wzrok ku niebu.

– ...chciałaby *Tę ostatnią niedzielę*.

– Właśnie – dodał Przemcio. – Widzisz, a mówiłeś, że on tylko weselne zna. A okazuje się, że pogrzebowe też.

– Przemciu – wtrąciła się Patrycja z westchnieniem – to nie jest pogrzebowa piosenka. To o miłości!

– Pati, przecież tam śpiewają o rozstaniu na wieczny czas – próbował przekonywać ją Przemcio. – Jak ktoś kocha, na wieczny czas nie odchodzi. W ogóle nie odchodzi – zmarszczył brwi – i nie pływa po oceanie, kiedy jego żona rodzi. Prawda, Oluś?

Zamyślony Oluś tylko pokiwał głową z dezaprobatą.

Zapadał zmrok. Na jednym z gdańskich cmentarzy stał grób obsypany kwiatami. Dogasały znicze. Zaraz za płotem, nie dalej niż dwadzieścia metrów od ukwieconego grobu, obok małego drzewka, które – wydawałoby się – ktoś zasadził przed chwilą, siedział wielki czarny kot. I miauczał. Miauczał tak, jakby tęsknił. Tęsknił do Frędzla, który spoczywał pod małym delikatnym drzewkiem.

Gdańsk, 20 czerwca 1998 r.

Kochana ciociu!

Cały czas się zastanawiam, czy dobrze robię z tym zarządzaniem. Matematykę lubię, polski też. Historię nie bardzo, fizyki nie umiem. Ciociu, ja nawet nie jestem w stanie określić, czy jestem humanistką, czy bardziej umysłem ścisłym.

Mama chciała, żebym została lekarzem. Nie spełniłam tego marzenia... I już nie spełnię. Zupełnie nie nadaję się na lekarza. Chociaż zastanawiałam się, czy nie zrobić tego dla Niej. Ale sama wiem, że trzeba mieć powołanie. Ja go nie mam i w dodatku na widok krwi padam nieżywa.

Uczę się całymi dniami i czuję, że podołam. W końcu ktoś musi zostać przyszłą kadrą menedżerską. Dlaczego nie miałabym to być ja?

Trzymaj kciuki za egzaminy.

Joanna

Ocean i miłość idealna

Po raz chyba setny tego dnia, a tysięczny w ciągu trzech dni, od kiedy poczuła, że jej pierworodne dziecko ma już dość siedzenia w ciasnym brzuchu, Joanna spróbowała się połączyć telefonicznie z Piotrem. W zasadzie nie wiedziała, co on teraz bada. Ostatnio już jej nie interesowały wyprawy męża. Bardziej interesował ją on sam, zwłaszcza wtedy, gdy bywał w domu.

Joanna była dość samodzielną kobietą, ale naprawdę miała już dość. W jej organizmie buzowały hormony, odgłosy wydawane przez małą Matyldę można było nazwać wszystkim, tylko nie nicmowlęcym kwileniem, i — co najważniejsze — ciotka Matylda udała się na wieczny spoczynek. Joanna zrozumiała, że jedyne, o czym teraz marzy, to wesprzeć się na męskim ramieniu i usłyszeć wypowiedziane tubalnym głosem: „Wszystko będzie dobrze, mała".

Zamiast tego słyszała własne westchnienia i gładziła stópkę Matyldy odzianą w różową skarpetkę. Prezent od Przemcia.

— Wszystko będzie dobrze, mała — wyrwało jej się. Nie bardzo wiedziała, czy zwraca się do siebie, czy do córki. Otarła łzy z policzków. — Nie rozklejaj się, dziecko — tym razem mówiła do siebie — żarty się skończyły. Teraz inni mają prawo płakać.

Ty jesteś skałą. Nie wolno ci ryczeć. – Gdy tylko wypowiedziała ostatnie zdanie, wybuchła gwałtownym szlochem.

Zadzwonił telefon. Oluś.

– Nie mogę się dodzwonić do Piotra – wyznała Joanna, znowu bliska płaczu. – Nie odbiera. Chyba nie ma tam zasięgu. Internet też nie działa. Nie wiem, co robić…

– Ja właśnie w tej sprawie. Jutro wychodzisz? – zapytał. – Pati mówiła, że na trzecią dobę wypisują, jeśli wszystko jest okej. – Oluś był bardzo zadowolony z siebie, że jest tak dobrze poinformowany. – Przyjedziemy po ciebie. Przemcio i Pati. A potem Patrycja będzie ci pomagała przez kilka dni. A my zajmiemy się ich dzieciakami. Pati będzie ci gotować i sprzątać. Ona lubi takie babskie sprawy. Pokaże ci, jak postępować z dzieckiem. Od swoich odpocznie dzięki temu. A takie małe to wiecznie śpi, prawdaż?

Niestety, takie małe „prawdaż-wiecznie-śpiące" nie spało. Joanna miała wrażenie, że ono nigdy nie śpi. Ledwo odstawiała córkę od piersi i przymykała jedno oko, natychmiast słyszała donośne: „Ej!". Jak na idealną matkę przystało, otwierała to oko (chociaż z trudem), brała Matyldę na ręce i czekała, aż mała zaśnie. I tak w kółko. Inne dzieci spały, ich matki spały, tylko Matylda oznajmiała całemu światu swoje istnienie głośnym: „Ej!". Joanka była już wykończona i bardzo obolała z powodu dziecka próbującego wyssać ze swej matki ostatnie tchnienie.

– Terror laktacyjny – usłyszała nagle i otrząsnęła się z zamyślenia. Zdążyła zupełnie zapomnieć, że ma Olusia na linii.

– Słucham? – zapytała.

– W szpitalu panuje terror laktacyjny. Pati mi mówiła. Nie daj się! Smoczków nie ma, butelek nie ma, nic nie ma. Po palcu i przez rurkę, czy jakoś tak.

– O Boże – skwitowała Joanka. Nic mądrzejszego nie przyszło jej do głowy.

– O Boże, właśnie. Pati mówiła, że masz małą nakarmić sztucznym. Od jednego razu nic jej nie będzie, a zyskasz trzy godziny spokoju.

– Trzy godziny... – Joanna westchnęła z rozmarzeniem. – O matko, mogłabym pospać przez trzy godziny! Bez przerwy! – Odłożyła słuchawkę i udała się do pokoju położnych, gdzie położna pod wpływem próśb i błagań sporządziła mieszankę żywieniową dla jej słodkiego różowego maleństwa, wrzeszczącego właśnie z drugiej części korytarza: „Ej!".

Joanna rzeczywiście pospała trzy godziny. Kiedy się obudziła, w pierwszej chwili nie za bardzo wiedziała, co się dzieje i dlaczego obok niej ktoś krzyczy i czegoś chce. Po chwili jednak sobie przypomniała. Uśmiechnęła się i przytuliła Matyldę, która natychmiast ochoczo to wykorzystała.

– Fotelik mamy po Pelasi – wyjaśnił Przemcio, pakując różowe zawiniątko do samochodu. – Oluś nie przyjechał, z dziećmi siedzi. On jest chrzestnym, wiesz? I Poli, i Pelasi. No bo jak? Jedna by go miała za chrzestnego, a druga nie? To przecież niesprawiedliwe. U nas tak było. Oluś miał fajnego chrzestnego. Mój też podobno był fajny, ale zmarł zaraz po chrzcinach. Świeć, Panie, nad jego duszą. I co mi z tego przyszło? Nic. – Wzruszył ramionami. – A Olusiowi się poszczęściło. Lego dostał i takie tam. Pieluchą ją okryję. Niby ciepło, ale ta wiosna taka zdradliwa. Pati – powiedział do zbliżającej się blondynki – zobacz, czy ona nie jest podobna do szanownej pani starszej, świeć, Panie, nad jej duszą?

– Przemciu, nie trzymaj tak Joanki na korytarzu! – zawołała kobieta. – Patrycja jestem. – Pocałowała Joannę w oba policzki. Wzięła od niej torbę, a widząc jej oczy błyszczące od łez, szepnęła: – Będzie dobrze, mała. Damy sobie radę. Nie jesteś sama. Masz nas.

Tak naprawdę Joanna była sama i gdyby nie pomoc tych, w gruncie rzeczy, obcych ludzi, nie wiedziała, co by zrobiła. Miała wprawdzie przyjaciół, ale to raczej byli przyjaciele męża i wolałaby nie płakać im w rękaw, że czuje się samotna. Nie chciała, by do Piotra dotarło, że nie jest taka twarda, jak udaje. Ona, Joanna, zawsze robiła dobrą minę do złej gry…

Mimo to czuła się samotna. Kiedyś miała prawdziwą przyjaciółkę, jednak ta w podstawówce wyjechała z rodzicami do

Niemiec. Na początku były listy, z czasem coraz rzadsze, aż wreszcie przestały przychodzić i kontakt się urwał. Joanka stwierdziła, że nie warto się z nikim przyjaźnić, bo człowieka może spotkać gorzkie rozczarowanie. Wytrwała w tej decyzji cały ogólniak, nikogo do siebie nie dopuszczała. Na studiach jednak zmieniła zdanie. Zaprzyjaźniła się z trzema osobami i dla nich była w stanie zrobić wiele. Niestety, z czasem rozpierzchli się po całym świecie i skończyły się nocne rozmowy przy butelce wina...

Teraz, gdy ciotka odeszła, Joannie została tylko mała Matylda i mąż, który siedział na tych swoich wyspach, a raczej w wodzie pomiędzy nimi, nawet nie wiedząc o tym, że ma córkę. Chociaż jak każdy wykształcony człowiek trochę umiał liczyć i powinien wiedzieć, że ciąża u człowieka trwa nieco krócej niż u słonia...

Nie odzywał się, ale nie miała złych przeczuć. Od kiedy straciła rodziców, wierzyła, że limit nieszczęść, jakie przypadają na jedną osobę, w jej przypadku już się wyczerpał.

Nie pamiętała tamtego dnia. Wymazała go z głowy. W uszach brzęczały jej jedynie słowa ciotki Matyldy.

— Przyjeżdżasz do mnie czy zostajesz w Gdańsku? — zapytała.

— Muszę zostać tutaj — odpowiedziała Joanka.

— Będę wieczorem — obiecała ciotka i tak też zrobiła. Tuż po zmroku zapukała do drzwi mieszkania na gdańskim Przymorzu z dwiema torbami pełnymi skarbów, które miały pomóc ukoić ból. A po paru miesiącach, gdy wracała do miasteczka, powiedziała:

— Dasz sobie radę beze mnie. Pamiętaj. Nie jesteś sama. Matylda zawsze jest blisko.

Joanna westchnęła, uśmiechnęła się do Patrycji i pozwoliła, by kobieta pomogła jej wsiąść do auta.

„Nie jestem sama — powtórzyła sobie z uporem. — Matylda jest blisko".

I tylko ona wiedziała, czy chodzi jej o córkę, czy o patrzącą na nią z góry, z lekka zatroskaną ciotkę.

Gdańsk, 10 kwietnia 2000 r.

Kochana ciociu!

Miałaś rację. Radek nie był dla mnie odpowiedni. Naprawdę zaczynam podejrzewać, że normalni faceci wyginęli. Jak dinozaury.

A może to ze mną coś jest nie tak? Dlatego że nie chcę zmieniać mojego mieszkania w spelunę dla całego roku?

Kolejne zmarnowane miesiące. Znasz, ciociu, to powiedzenie: nie znajdziesz faceta na studiach, potem już nie masz szans... Ja marzę o domu, rodzinie, dzieciach. No ale skoro brak kandydata...

Potrzebuję mężczyzny, a nie chłopca. Mężczyzny, który zrozumie, że jeśli sąsiad mnie zaleje, to będę oczekiwała pomocy...

Może zbyt wiele wymagam od życia?

Ciociu, proszę Cię, jeśli następnym razem będę mówić czule o jakimś facecie, potrząśnij mną mocno, żebym się obudziła z romantycznych uniesień i trzeźwo spojrzała na świat. Chyba naprawdę samotność jest mi pisana.

Joanka

PS Imienia Radek nigdy nie lubiłam.

Sztuka survivalu

– Joanko, ty się połóż – nakazała Patrycja, gdy Przemcio podwiózł je do domu. – Połóż się i nic nie rób. Przytulaj tylko Matyldę. A jeśli zaśnie, ty też śpij. Jest taka złota zasada: kiedy ona śpi, ty śpisz. A ja pójdę do kuchni, obiadek zrobię. Przygotuję ci więcej, zamrozimy i na miesiąc będziesz miała z głowy.

Joanna spojrzała na nią z wdzięcznością.

– Muszę zadzwonić – powiedziała. – Może skype'a odbierze?

– No może… – odparła Patrycja z powątpiewaniem. – To usiądź sobie, włącz komputer i spróbuj. Może najpierw wyślij mu maila… Choć nie wiem, czy go w ogóle zainteresuje, że ma dziecko – dokończyła cicho pod nosem. – Adrenaliny mu się zachciało! Spitsbergen. Bieguny jakieś. Faceci to dziwne stworzenia. – Pokiwała głową, spoglądając na męża. Tylko zmarszczył brwi.

– Tym razem Wyspy Gambiera. To zupełnie gdzie indziej… – próbowała oponować Joanka.

Patrycja ją zignorowała.

– Bo taki jeden z drugim zamiast jeździć na te Spitsbergeny, powinien spędzić dzień na oddziale położniczym.

W roli pacjenta oczywiście. To dopiero jest sztuka przetrwania!

– Patuś... – nieśmiało zaczął Przemcio. – To ja może już do domu pojadę? Do dzieci... Oluś sobie nie poradzi...

– O, nie, kochany! Następny mądry! Oluś sobie radzi z mafiosami, a z dwójką słodkich maluchów nie da sobie rady? Na pewno da. A ty słuchaj, co mam do powiedzenia, bo muszę na kimś wyładować żal i agresję.

– Żal i agresję? – Przemuś jęknął. – Ale co ja ci zrobiłem?

– Przemciu, ty jako ty – nic. Ale ty jako przedstawiciel rodu męskiego, którego jeden z reprezentantów wyjechał w morze i nie wraca, to samo zło, Przemciu, samo zło.

Przemcio skulił się na taborecie i próbował wyglądać na mniejszego, niż był w rzeczywistości. Nie bardzo mu to wychodziło.

– Tak jak mówiłam, wszyscy mężczyźni spragnieni emocji i niezwykłych przeżyć powinni sobie zafundować pobyt na oddziale położniczym.

Przemcio pokiwał głową. Miał nadzieję, że to koniec. Niestety, mylił się.

– Tam jest gorzej niż na wojnie, Przemciu, sam wiesz. Adrenalina murowana. Survival jak cholera. Może który by przetrwał. Chociaż wątpię, bo z was to w sumie mięczaki. – Spojrzała na Przemcia. – No, przyznam, że mnie się trafił całkiem udany egzemplarz. – Uśmiechnęła się i usiadła mu na kolanach. – Obiecaj mi, że nigdy na żaden Spitsbergen nie pojedziesz.

– Obiecuję – odpowiedział potulnie dwumetrowy osiłek. – Jeśli już, to tylko z tobą. Ale po co, skoro tutaj jest fajnie?

Joanna pisała maila i szło jak po grudzie, choć ta czynność nigdy nie sprawiała jej trudności. Wręcz przeciwnie — zawsze pisała. Najpierw listy — do ciotki, do przyjaciół, potem – maile. Siadywała wieczorami i pisała, co akurat jej w duszy grało. Gdy miała problem, przelewała go na kartkę papieru i dzięki temu znajdowała rozwiązanie. Do ciotki Matyldy pisała – mimo że dzwoniły do siebie — ponieważ obie to lubiły. Ten cotygodniowy rytuał siadania z kawą inką przy małej lampce i opisywania minionych dni… Teraz od Przemcia dostała z powrotem te listy, przewiązane czerwoną wstążeczką. Całe jej życie. Tydzień po tygodniu.

Chciała napisać maila do męża, jednak nie mogła sklecić kilku prostych zdań. Była szczęśliwa, ale w głębi serca czuła niepokój. Zdarzało się, że Piotr milczał, czasem tam, gdzie akurat przebywał, nie miał kontaktu ze światem. Widocznie tak było i teraz.

„Kochanie" – zaczęła, ale po chwili skasowała. „Piotrze, mamy córeczkę" – też jakoś dziwnie. Westchnęła i wszystko

skasowała. Po chwili namysłu napisała po prostu „Matylda",
dołączyła trzy zdjęcia córeczki i kliknęła „Wyślij".

Piotra poznała zaraz po studiach. Była ze znajomymi
w Bieszczadach. A on opowiadał, że chciałby się zajmować
badaniami nunataków.

„Mądry facet" – pomyślała. Nunataki, czymkolwiek były,
brzmiały bardzo naukowo. Podejrzewała, że to jakieś zwierzątka futerkowe, jednak już na pierwszej randce Piotr wypro-
wadził ją z błędu. O Grenlandii, Antarktydzie i nunatakach
mógł mówić godzinami. Jak się później okazało, wyłącznie
o tym. I na dodatek nie były to zwierzątka, tylko jakieś zupełnie nieprzyjazne wzgórza.

Ślub wzięli pomiędzy jego jedną ekspedycją a drugą. Kiedy
wyjechał, okazało się, że Joanna jest w ciąży. Potem jeszcze
przyjechał do domu na Gwiazdkę. Myślała, że zostanie dłużej… Niestety, nunataki wzywały. Co prawda ona też wzywała, ale w świecie Piotra skały, kamienie i lód były zawsze na
pierwszym miejscu.

Matylda spała już drugą godzinę. Joanka nie dała się przekonać Patrycji i wciąż wpatrywała się w komputer z nadzieją,
że przyjdzie wiadomość od męża.

Nie przyszła.

Nerwowo zaciskała usta. Cud świata spał obok niej, a ona nawet nie mogła się tym cudem pochwalić przed człowiekiem odpowiedzialnym za jego istnienie.

— Drogie dziecko, na co ci taki mąż? — zapytała kiedyś ciotka. — Przyjedzie, dziecko zrobi i odjedzie. Czy tak można żyć?

Joanka stwierdziła, że można. Od momentu gdy zaszła w ciążę, nie czuła się samotna. Może z wyjątkiem kilku dni na początku, kiedy spędziła smutny tydzień w szpitalu, modląc się o zdrowie jeszcze nienarodzonego dziecka. Piotra oczywiście nie było. Była za to ciotka. Prawie cały czas.

— Ktoś musi ci pomagać, kochanie, skoro męża nie ma. I to jeszcze w takich ważnych momentach! — Matylda nie ukrywała oburzenia. — Gdy będziesz rodzić, pewnie też nie przyjedzie. Jesteś pewna, że był przy poczęciu, czy to jakoś inaczej się stało? — mruknęła złośliwie.

— Ciociu! — zawołała Joanka.

— No co: „ciociu"? Tak tylko pytam. — Matylda wzruszyła ramionami i zaciągnęła się papierosem. Już nigdy nie poruszyła tego tematu.

– Joanko, połóż się. Nie siedź przed tym komputerem.

Obudził ją czyjś głos. W pierwszej chwili nie bardzo wiedziała, do kogo należy. Otworzyła oczy i zobaczyła uśmiechniętą Patrycję.

– Zasnęłaś. Mała zaraz się pewnie obudzi. Zjedz zupę, nakarm Matyldę i połóż się. Pamiętaj o żelaznej zasadzie: dziecko śpi, ty śpisz. Po sześciu tygodniach wszystko się unormuje. Uwierz mi!

Sześć tygodni minęło szybko. Dokładnie w Dzień Matki Matylda obdarzyła rodzicielkę pierwszym świadomym uśmiechem. A zaraz potem do drzwi zadzwonił dzwonek.

W progu stał Piotr.

– To jest Jasiek? – zapytał zachwycony, widząc Joannę z dzieckiem na rękach.

– Matylda – poprawiła, wtulając się w męża. – Mamy córkę.

– O Boże, córka… – Zachwyt Piotra zmieszał się z niedowierzaniem. – Matylda… – Uśmiechnął się. – Moje dziewczyny!

Gdańsk, 5 stycznia 2001 r.

Kochana ciociu!

Poważnie zaczynam podejrzewać, że to ze mną jest coś nie tak. Przyciągam same zbłąkane dusze, które ciężko się aklimatyzują w realnym świecie, potrzebują pomocy. A najgorsi są faceci. Podobam się wyłącznie takim, którzy tęsknią za mamusią, marzy im się kobieta, która będzie się nimi opiekowała i wspierała ich w każdej sytuacji. Już mam tego dosyć. Właśnie wyszedł ode mnie kolejny taki. Żalił się, jakie życie jest beznadziejne. Wiesz, ciociu, jestem tutaj zupełnie sama i chciałabym, by wreszcie to o mnie ktoś się zatroszczył, a nie wmawiał mi, że świat to jedna wielka ruina. Mam chwilowo dość ludzi. Dopuszczam do siebie tylko takich jak ja samotników. To dlatego wszyscy obcokrajowcy znajdują u mnie azyl. Bo ja ich doskonale rozumiem. Też są sami tutaj, w Polsce. Ja mam przynajmniej Ciebie, a oni... Oni w zasadzie mają tylko mnie.

Chyba zaproponuję Ann, żeby wynajęła u mnie pokój. Zawsze to trochę więcej pieniędzy, a poza tym miło mieć się do kogo odezwać. Ty masz chociaż Frędzla. Sama się zastanawiam, czy sobie nie sprawić kota. Tylko że ja lubię niezależność. I nie chcę już nikogo kochać. Nawet jeżeli to będzie kot.

Poza tym, ciociu, u mnie wszystko w porządku. Nauki trochę jest, a sąsiadka poprosiła, żebym dawała jej synowi korepetycje z matematyki – więc będę się czuła jak pączek w maśle.

Buziaki, idę zgłębiać tajniki rachunkowości zarządczej. Mówię Ci, ciociu, tragedia!

Joanna

Specjalista od nunataków, studia oraz kocimiętka dla Frędzla

Jak się okazało, Piotr wrócił na całe trzy tygodnie.

– Trzy tygodnie? Piotrek, jak to trzy tygodnie? – Joanna nerwowo chodziła po pokoju.

– Nie krzycz, Miśkę obudzisz – szepnął prosząco. Miśka, nieświadoma tego, że ojciec miał ją niebawem pozostawić na pastwę losu, spała smacznie, przykryta różowym kocykiem, i ssała intensywnie różowego smoka.

– Nie było cię prawie całą ciążę, nie było cię, kiedy ciocia umarła, zostawiłeś mnie z tym wszystkim samą. – W tym momencie pomyślała o Olusiu i Przemciu, i o Patrycji, bez której nie dałaby sobie rady. – No, prawie samą. Miałam obok siebie przyjaciół. Ale, do cholery, nie miałam męża!

– Kiciuś, przestań na mnie krzyczeć.

– A ty byś nie krzyczał, gdybym cię zostawiła z małym dzieckiem i wyjechała na pół roku? – Spojrzała na niego z wyrzutem.

– No właśnie chciałem o tym z tobą porozmawiać. Tym razem Spitsbergen… Spełnia się moje marzenie, kiciu. Nunataki… Ekspedycja będzie trwała osiem miesięcy. Może dłużej…

– Wziął komórkę do ręki i zaczął czytać wiadomość, która właśnie przyszła. Nigdy się nie rozstawał z telefonem.

– Czy ty nie możesz ze mną porozmawiać bez stukania w tę komórkę?

– To Ivalo – powiedział Piotr, odpisując.

– Znowu Ivalo! Odkąd przyjechałeś, tylko patrzysz na telefon i czekasz na esemesy. – Pokiwała głową z dezaprobatą. – Nawet szwedzkiego się nauczyłeś. Przy śniadaniu esemesy, przy kolacji też. Nawet w wannie! Kim, do cholery, jest Ivalo?

– Specjalistą. Najlepszym – oczy Piotra zabłysły – specjalistą od nunataków na całym świecie. To wybitny geolog, biolog. Bardzo mądra osoba – wymieniał, a Joannie zaczęło się robić niedobrze od tych superlatywów. – Człowiek orkiestra. Można się wiele nauczyć...

– Człowiek orkiestra? – przerwała mu. – Ja mam się od niego uczyć? Od jakiegoś Ivala? Ile on ma lat? Ma rodzinę, dzieci? – Wskazała śpiącą Matyldę. – Jeżeli ma, to jego żona jest tak samo durna jak ja, że mu pozwala wyjeżdżać na cały rok gdzieś, gdzie nawet skype nie działa. – Zdenerwowanie Joanki sięgnęło zenitu. Jednak punkt, który osiągnęło, okazał się bardzo daleki od zenitu, o czym zaraz miała się przekonać.

– Ivalo Jonsdottir. Miała męża, ale się rozstali – odparł Piotr.

– Miała? Ivalo to kobieta? – Joanna złapała się za głowę. – I ty z tą babą jesteś zamknięty w jakiejś klitce przez dziewięć miesięcy?! I dopiero teraz mi to mówisz?!

– Oj, kocie, zaraz tam zamknięty... Ivalo to specjalista w swojej dziedzinie. Ma niesamowitą wiedzę na temat Grenlandii, jej matka pochodziła z...

– Piter, naprawdę mnie nie interesuje, skąd pochodziła matka kobiety, z którą spędzasz więcej czasu niż z żoną i córką – warknęła Joanka, energicznie gestykulując.

– A powinno. Ciebie bardzo mało rzeczy ostatnio interesuje – powiedział cicho Piotr. – Tylko Matylda, kupki i papki...

– Lepiej nie kończ. Oczywiście, że Matylda bardzo mnie interesuje. To chyba normalne? A poza tym? Mało rzeczy? Nie jesteś ze mną, nie wiesz, co mnie ciekawi! Nic o mnie nie wiesz, bo siedzisz gdzieś po szyję w wodzie albo śniegu i flirtujesz z jakąś Ivalo. Albo z jakimś.

– Ivalo Jonsdottir. To kobieta – odparł.

– No wiem, że kobieta, nie musisz mi tego powtarzać tysiąc razy! – denerwowała się dalej Joanka.

Usiadła na kanapie i odchyliła głowę do tyłu, na oparcie. Przymknęła oczy. Po chwili poczuła, jak Piotr się do niej przysunął.

– Kiciu, Matylda śpi, a my się kłócimy – szepnął, głaszcząc ją po udzie. – A przecież moglibyśmy inaczej spożytkować ten czas...

Joanna zmroziła go wzrokiem i poszła do drugiego pokoju, starannie zamykając za sobą drzwi.

Usiadła przed komputerem i wpisała w wyszukiwarkę Facebooka „Ivalo Jonsdottir".

Po chwili na ekranie pojawiła się uśmiechnięta, wysoka i szczupła blondynka w objęciach nikogo innego jak Piotra, jej własnego męża.

Joanka otworzyła z rozmachem drzwi.

— Chodź do mnie! — zakomenderowała. Piotr z ociąganiem podszedł do monitora.

— Co to jest? — zapytała zimno.

— Ivalo i ja — odpowiedział. — Z imprezy w Sztokholmie.

— Z imprezy? — Joanna nie mogła uwierzyć. — W Sztokholmie? Jakiej imprezy? Kiedy to było?

— No... Przed przyjazdem tutaj. Po drodze zajechałem do Sztokholmu. Ivalo miała urodziny.

— Piotrek! Po drodze? Gdzie Sztokholm po drodze? Twoja córka też miała urodziny, a dokładniej mówiąc, właśnie się rodziła! — krzyczała Joanna bez opamiętania. — A ty balujesz na imprezach w Szwecji?! Normalnie nie do pomyślenia. — Zaczęła przeglądać facebookowy profil Ivalo. — Szkoda, że nie ma więcej zdjęć, byłoby co oglądać, jak wyjedziesz. Pokazałabym Matyldzie, jak tatuś wygląda — prychnęła złośliwie.

— Kiciu...

— Przestań tak do mnie mówić! — zezłościła się. — Nakarmię Matyldę i idę z nią na spacer. Zajmę się moim jedynym zainteresowaniem, jak mówisz. — Wyjęła pieluchę z szafki i zaczęła machać mu nią przed nosem. — Muszę to odreagować. A ty pakuj się i rób, co chcesz. Nie moja sprawa.

— Pójdę z wami — nieśmiało zaproponował Piotr.

– Nie. Tym razem wolimy być same. Zresztą powinnyśmy się już zacząć do tego przyzwyczajać!

Joanna nakarmiła zadowoloną z życia – w przeciwieństwie do niej samej – Matyldę, przewinęła ją, ubrała i wyszła na spacer.

Skierowała się na cmentarz. Zawsze kiedy miała gorsze dni, szła pogadać z ciotką. Bardzo brakowało jej tych rozmów. Całe szczęście, że Oluś i Przemcio zadbali, żeby przy grobie Matyldy stanęła ławeczka, na której można by sobie posiedzieć i porozmyślać. W ogóle Oluś i Przemcio dbali o wiele rzeczy. Gdyby poznała ich wcześniej... Niestety, w dzieciństwie wyjeżdżali na wakacje akurat w tym samym czasie, kiedy Joanka odwiedzała ciotkę. A szkoda.

Joanna zostawiła wózek w alejce pomiędzy nagrobkami, wzięła Matyldę na ręce i usiadła na ławeczce.

– Stokrotki ci przyniosłam – powiedziała. – Wiem, że lubisz stokrotki, a nie te żałobne chryzantemy. O! Widzę, że chłopaki posiali niezapominajki. Pewnie się cieszysz! – Uśmiechnęła się. – Konwalii jeszcze nie widziałam, a już powinny być. Jeśli tylko gdzieś zobaczę, to przyniosę. – Pokiwała głową z przekonaniem. – Wiesz, ciociu, ja nie rozumiem, o co chodzi z tą Ivalo. Romans? Przecież on mnie kocha. To niemożliwe. On nie z takich, co rzucają dom, rodzinę i dziecko dla jakiejś zimnokrwistej lafiryndy z Północy, prawda, ciociu?

Zamyśliła się. Cisza na cmentarzu sprzyjała spokojnym rozważaniom.

– Trwałe uczucia są obce mężczyźnie, trwały jest tylko jego egoizm – powiedziała kiedyś ciotka. Nie był to najwłaściwszy moment, bo na tydzień przed ślubem z Piotrem.

– Kochanie, jesteś tego pewna? – zapytała wtedy, głaszcząc Frędzla. Frędzel mruczała z rozkoszy. – Ona go nie lubi – dodała ciszej. – Moja kotka przeważnie lubi ludzi. A na jego widok syczy.

– Ciociu… Przecież kot nie może decydować o moim małżeństwie – westchnęła Joanna.

– No nie może, nie może… – Matylda zaciągnęła się papierosem. – Ale ja nie lubię palących – oznajmiła zaraz.

– On zapalił tylko po to, żeby ci się przypodobać – broniła narzeczonego dziewczyna.

– No i widzisz? Nie jest sobą. Ile razy tobie chciał się przypodobać? I jak to będzie, jeśli już nie będzie chciał? Co to za facet, który zachowuje się jak chorągiewka? Mówiłaś, że czym on się zajmuje?

– Skałami, ciociu. Na morzach… I w oceanach… – zaczęła wymieniać Joanka.

– Będziesz często sama. Pewnie będzie jeździł do tych swoich skał…

– Nie, ciociu. Piotr obiecuje, że ukróci swoje podróże. Wiesz, mówi mi, że jak tylko dzieci się pojawią, to nie będzie mógł się z nimi rozstać. – Zarumieniła się.

– Ale z tobą to może? – mruknęła ciotka domyślnym tonem.

– No nie, ze mną oczywiście też nie – odparła z przekonaniem Joanna. – Nie może mnie przecież zostawić...

♣

– Nie może nas zostawić – powiedziała na głos, siedząc przed grobem ozdobionym prostym brzozowym krzyżem. – Nie może – powtórzyła. – Przecież to, że pracuje z tą kobietą, nie musi zaraz znaczyć, że mają romans, prawda?

– To do mnie? – usłyszała głos zza pleców.

– Przemcio! – Odwróciła się z uśmiechem. – I Oluś! – dodała wesoło. Odkąd mąż przyjechał, nie widziała się z braćmi i, prawdę mówiąc, nawet nie zdawała sobie sprawy, że tak bardzo się za nimi stęskniła.

– Kto ma romans? – zapytał Oluś, jakby z zazdrością.

– Może by mu obić twarzyczkę? – zaproponował Przemcio.

– Nie, nie, nie ma takiej potrzeby. – Joanna czym prędzej powstrzymała zapędy braci.

– Bo jak trzeba, to my chętnie – zapewnił Oluś. – My nawet lubimy obijać twarzyczki. Szanowna pani starsza...

– Świeć, Panie, nad jej duszą...

– ...prosiła, byśmy cię pilnowali. I pomagali ci. A my – poprawił znicz na grobie – pomagamy, jak umiemy.

– A umiemy obijać twarzyczki! – Przemcio zarechotał, Oluś radośnie mu zawtórował.

Mała Matylda się roześmiała.

– Ciii, wujek, nie przy dziecku – skarcił go Oluś.

– My tu przyjechaliśmy, bo Przemcio idzie do szkoły – powiedział Oluś.

– To Patrycja tego chce. – Przemcio zrobił zmartwioną minę. – Przekonała się do biznesu i stwierdziła, że nie rozwiniemy piekarni, jeśli do szkoły nie pójdę.

– Piekarni! – przerwała im Joanna. – No właśnie, ten wasz biznes! Ciotka o nim wspominała, ale nie zdradziła żadnych szczegółów. A to przecież ważne!

– Ważne, ważne – odparł w zamyśleniu Oluś. – Przemcio pójdzie do szkoły, a ktoś musi zostać i interesu pilnować. Jeżeli Przemciowi się spodoba, ja też pójdę się uczyć. Chociaż mnie do nauki nie ciągnie.

– No i przyjechaliśmy dowiedzieć się co i jak – kontynuował brat. – Pati wysyła mnie na zarządzanie. Mówi, że ekonomia to nie to. Ja mam umieć zarządzać. Jakbym do tej pory nie dawał sobie rady. – Wzruszył ramionami. – Przecież dobrze nam idzie. No ale zawsze może być lepiej, prawda? Poza tym Oluś chce drugi... hm... drugą piekarnię otworzyć. I pomyśleliśmy, że skoro w Nowym Mieście tak dobrze nam idzie i ruszyła sprzedaż przez internet, to można by zacząć w Gdańsku. Dzieci miałyby tu pewnie lepszą szkołę, Pati znalazłaby sobie jakieś zajęcie. Mówi też o jakichś studiach, ale to chyba bez sensu… Mamy trochę kasy i myślimy o mieszkaniu. Chociaż Pati dom by chciała. – Znowu wzruszył ramionami. – Na mieszkanie nas stać, ale na dom? I to w Gdańsku?

– Fakt, drogo tutaj. – Joanka westchnęła.

– Drogo. Już się orientowaliśmy. No, ale Pati chce. Mówi, że nie po to opuszcza domek w miasteczku, gdzie te swoje bazylie i lubczyki może hodować, żeby do blokowiska się przenosić. I mamy już lokal na sklep. We Wrzeszczu. Samo centrum. Ale dom?

Oluś siedział zasępiony.

– A mnie samego zostawią. I to już się chyba nie zmieni. Wiesz, Joanko, gdybym pracował w biurze, mógłbym kogoś poznać. I zakochać się. Ale w piekarni? Tam sami faceci przychodzą. A jeśli kobiety, to tylko takie, które chcą rozpalać zmysły swoich facetów. Samotna kobieta nie przyjdzie do piekarni. Bo i po co?

Joanka nie rozumiała, dlaczego samotna kobieta nie może chodzić do piekarni i o co chodzi z tym rozpalaniem zmysłów, ale słuchała z uwagą.

– No i dlatego mówię, że to Oluś powinien na studia iść, a nie ja. – Przemcio wzruszył ramionami. – Bo takie studia w Gdańsku chyba są dobre do szukania żony, co?

– Z pewnością – odparła Joanna, nieudolnie skrywając rozbawienie. Matylda jej zawtórowała śmiechem.

– Widzisz, Oluś – Przemcio poklepał brata po ramieniu – mamy rację z Pati. Pójdziesz na studia do Gdańska i będziesz nas odwiedzał w nowym mieszkaniu. Bo inaczej jak się będziemy spotykać? Nawet piwa się nie napijemy.

Oluś miał zmartwioną minę.

– A może razem pójdziecie? – zaproponowała Joanna.

– Eeee, razem? Po co? – zapytał rzeczowo Przemcio.

– No... Żeby się uczyć... Wiedzę zdobywać.

– Jak jeden będzie umiał, to drugiemu opowie. – Oluś wzruszył ramionami. – Po co dwa razy tę samą robotę odwalać? My zawsze tak. Jeden jednego się uczył, drugi drugiego. A potem sobie pomagaliśmy.

– A nie wolicie w czasie wolnym pogadać o głupotach przy piwku? – Joanna próbowała ich przekonać sposobem.

– A jak! – przytaknął z zapałem Przemcio. – Pewno, że wolimy!

– No widzicie. Zaoszczędzicie czas. Najpierw wspólnie będziecie chodzić na zajęcia, a potem już luz.

– Luz... – Uśmiechnęli się. – Może masz rację? Pomyślimy o tym.

– Pomyślcie. Jeśli będziecie czegoś potrzebować, to dajcie znać.

– Dobra, a teraz musimy jeszcze w jedno miejsce. – Oluś wskazał za płot i wyjął z torby woreczek z jakąś sadzonką.

Joanna spojrzała pytająco.

– Kocimiętka. Dla Frędzla – odparł. – Pochowaliśmy ją tam, za płotem. Starsza pani szanowna...

– Świeć, Panie, nad jej duszą...

– …chciała mieć Frędzla blisko. – Oluś pokiwał głową. – Dlatego tam ją pochowaliśmy. Ale niezapominajek jej nie posadzimy, bo nie wiemy, czy lubiła. A kocimiętkę bardzo. – Uśmiechnął się.

– I inne koty będą ją odwiedzać. Frędzla, znaczy się. Miło jej będzie. Starsza pani szanowna…

– Świeć, Panie, nad jej duszą…

– …bardzo by się cieszyła.

Starsza pani szanowna, świeć, Panie, nad jej duszą, patrzyła z zatroskaną miną. Nie na kocimiętkę, którą Oluś i Przemcio właśnie sadzili nieopodal wysokiej brzozy poza granicami cmentarza, lecz na Joannę, która karmiła piersią wtuloną w nią małą dziewczynkę i mówiła przyciszonym głosem o swoich troskach, zmartwieniach, marzeniach i obawach…

Gdańsk, 20 stycznia 2001 r.

Kochana ciociu!

Ann się wprowadziła! Zajęła ten mały pokój, a ja się czuję, jakbym była właścicielką luksusowego pensjonatu. Przygotowałam jej wszystko tak jak trzeba, świeżą pościel, ręczniki, nawet kwiaty postawiłam na stole. Jak Ann weszła, to się popłakała, mimo że już nieraz u mnie była.

Dobrze jest znowu z kimś mieszkać. Ostatni raz mieszkałam z rodzicami, a potem z Tobą, po tym wszystkim... Ann mieszka już prawie tydzień, a ja odżyłam. Pijemy sobie co rano kawę, potem jedziemy na uczelnię, wracamy. Ann cały czas uczy się polskiego i próbuje czytać książki po polsku. Gdy zobaczyła moją biblioteczkę, oniemiała. Wiesz, co wyciągnęła? Anię z Zielonego Wzgórza. *Stwierdziła, że czytała to parę razy po angielsku i że będzie jej łatwiej. Wolałabym szerzyć wśród Australijczyków polską literaturę, ale wszystko po kolei. Niech zacznie od tego, a potem jej coś podrzucę.*

I trochę śmiesznie to wygląda, jak siedzimy wieczorami, każda pod kocem, z książką, i tylko na przemian robimy sobie herbatkę. To był dobry pomysł z tą Ann, ciociu.

Joanna

Zdziczała Joanka i jej lekkie pióro

Oluś i Przemcio podlewali kocimiętkę na grobie Frędzla. Był piękny letni wieczór, właśnie złożyli papiery na studia i prawdę mówiąc, byli z siebie bardzo zadowoleni. Już samo podpisanie dokumentów spowodowało, że poczuli się o niebo mądrzejsi.

– Wyobrażałeś sobie? – odezwał się Oluś. – Jesteśmy studentami! W żadnym kinie tego nie grali. No, chyba że to horror będzie. Albo tragedia jakaś.

– Starsza pani szanowna... – zaczął Przemcio.

– Świeć, Panie, nad jej duszą – wypowiedzieli jak zwykle jednogłośnie.

– ...zawsze w nas wierzyła – dokończył Przemcio. – Pamiętasz? Mówiła, że wyjdziemy na ludzi. I chyba się udało, co?

Oluś z zapałem kiwnął głową i jeszcze obficiej podlał kocimiętkę.

– Powiem ci, że wiele jej zawdzięczamy. O ile nie wszystko.

– Wszystko, Przemciu, wszystko – westchnął Oluś. – Szkoda, że tak młodo umarła...

Przemcio spojrzał na niego pytająco i zmarszczył brew.

– No co? – rzucił Oluś. – Duchem była młoda, myślę, że nawet młodsza od nas.

– Racja... Musimy pomóc Joance. Ten jej mąż znowu wyjeżdża. Albo już wyjechał. – Przemcio wzruszył ramionami. – Zobacz, podlewamy tę kocimiętkę, a tu pusto i cicho. Nikt nie przychodzi odwiedzać Frędzla.

– Oprócz nas.

– No, oprócz nas – przytaknął Przemcio. – Ale co z nas za towarzystwo? Przecież nawet jej miauczenia nie rozumieliśmy. Nie to co szanowna pani starsza...

– Świeć, Panie, nad jej duszą. – Wznieśli oczy ku niebu.

– Ona chyba musiała być kotką w poprzednim wcieleniu. Perską. Dachowcem nie, z całą pewnością.

– E tam, mogła być. Takim, co znalazł sobie kogoś do kochania.

– Faktycznie... – Oluś się zamyślił i posmutniał. – Fajnie jest mieć kogoś do kochania. No nic. Pamiętasz, jak pani starsza mówiła, że każda potwora znajdzie swego amatora?

– Oluś, pamiętam. I nie jesteś żadną potworą. Nie martw się, przecież po to na studia idziesz!

– No tak. Po to też... Ale wiesz co? Trzeba by wreszcie z Joanką o biznesie pogadać. Ona w ogóle wie, co robimy?

– Pewnie wie, przecież mówiłeś, że filię na Grunwaldzkiej otwieramy. – Przemcio był bardzo pewny siebie. – I powiedziała, że życzy nam powodzenia i takie tam...

– Przemuś… – wszedł mu w słowo Olek. – My cały czas o piekarni mówiliśmy…

– O cholera! – zaklął Przemcio. – Faktycznie. Piekarnia piekarni nierówna. A takiej jak nasza to nie ma chyba nigdzie…

– No właśnie. Cholera – powtórzył Oluś. – Naprawdę już czas pogadać z nią konkretnie o biznesie. – Pokiwał głową. – I kasę trzeba jej dać za ten kwartał. A może ona woli miesięcznie się rozliczać? Teraz pewnie będzie jej brakowało forsy, jak ten jej pojedzie na Seszele…

– Spitsbergen… – poprawił brata Przemcio.

– Oj tam, jeden pies. On wyjedzie, a Joance kasa się przyda.

Joance kasa przydałaby się na pewno, zwłaszcza ze względu na nowe „hobby", któremu nie mogła się oprzeć. A było zaiste kosztowne. Każdego dnia stroiła Matyldę w rozmaite cudeńka, niczym księżniczkę, wydając na to fortunę, mimo że najczęściej korzystała z aukcji internetowych i ciucholandów.

Matylda, Motylek, Matusia, Mateńka. Tyldeczka również. I Tusia albo Tusiek. Oraz Miśka. Młoda mama zakochiwała się w swojej córeczce coraz bardziej. W takiej sytuacji każde dziecko byłoby wniebowzięte.

– Wiesz? – opowiadała kiedyś Joanna, stojąc nad grobem ciotki. – Nie spodziewałam się, że można kogoś tak kochać. –

Uśmiechnęła się. – Owszem, czasem jestem zmęczona. Ale to chyba normalne, prawda? Czasami marzę, żeby zasnęła i dała mi chwilę wytchnienia... Ale jeśli zbyt długo śpi, to naprawdę nie mogę się doczekać, kiedy się obudzi.

Matylda była dzieckiem niemal idealnym. Jadła, robiła kupy, nie chciała tylko spać. Po co spać, skoro świat jest taki piękny? Joanna w myślach słyszała słowa ciotki.

– Dziecko drogie, wyśpię się po śmierci. Szkoda czasu na nicnierobienie.

Tak samo najwyraźniej myślała jej imienniczka, która *notabene* rozwijała się nadzwyczaj dobrze, rechotała na zawołanie i przysparzała niesamowitej radości matce. Ojcu też, dopóki był... No, ale... wyjechał.

Z Ivalo na Spitsbergen.

Czy Grenlandię.

Jeden pies, jak by powiedzieli bracia Kwiatkowscy.

Jeden pies.

Hau. Hau.

Piotr badał nunataki z najlepszym fachowcem w tej dziedzinie, a Joanna zastanawiała się, czy te skały i głazy są jedyną specjalnością uśmiechniętej blondynki. A wyobraźnię miała całkiem niezłą.

Do tej pory pożytkowała ją na wymyślanie bajek dla Matyldy, ale jeżeli chodziło o zemstę na blondynce, inwencja Joanny była nieograniczona.

Rano wstawała, budzona przez córeczkę, karmiła ją, ubierała, jadła śniadanie i wychodziła z domu. Podczas spacerów starała się czytać książki, ale nie zawsze się to udawało. Przechadzała się więc po lesie i wymyślała historie. Przeważnie o miłości. Często pojawiała się w nich zła kobieta, która na końcu ponosiła zasłużoną karę za swoje uczynki, a zakochani małżonkowie żyli długo i szczęśliwie.

– Joanka nam dziczeje – stwierdził pewnego dnia Przemcio pomiędzy jednym kęsem a drugim. Siedzieli właśnie w ogrodzie i jedli pyszną karkówkę z grilla, zamarynowaną poprzedniego wieczora przez Patrycję. – Oluś, trzeba ją ratować przed tym dziczeniem!

– Oj, wy nic nie rozumiecie – włączyła się Patrycja. – Każda by zdziczała, gdyby została sama z dzieckiem. Co ona ma z życia? Pieluchy, spacer, karmienie, pieluchy, spacer, karmienie. Zwariować można. Czy wy myślicie, że normalnej kobiecie to wystarczy?

– No nie. Chyba nie. Trzeba jej pomóc. – Oluś się zasępił.

– Ale jak? Romans by jej się przydał.

– Olgierdzie! – Patrycja spojrzała na niego z wyrzutem. – Ani się waż!

– Ja? – zdziwił się brat nazywany Olgierdem tylko wtedy, gdy ktoś z rodziny był na niego ogromnie zły. – Jakżebym śmiał?

– No ja myślę! – prychnęła Patrycja. – Ale mam pewien pomysł. Pojedziecie tam w piątek, zostaniecie z Matyldą, a Joanka pójdzie do kina. Albo do teatru. Albo dokądkolwiek, byleby nie siedziała w domu. I tak będzie myśleć o małej, ale jeśli zacznie wychodzić regularnie, w końcu się wyluzuje.

– Regularnie? – jęknął Oluś.

– No co? Wprawiaj się, słoneczko. – Patrycja pogłaskała szwagra po łysej jak kolano głowie. – Na studiach usidli cię jakaś niewiasta i też będziesz niańczył dzieci.

– Usidli… – z przerażeniem wymamrotał starszy brat i na wszelki wypadek rozejrzał się dookoła, jakby podejrzewał, że ogród jest pełen jakichś podstępnych niewiast.

– Jasne! – Patrycja i jej mąż wybuchnęli gromkim śmiechem.

– Ale z kim ja mam iść do tego kina? – zaprotestowała Joanna. – Sama?

– No nie sama, nie sama – przekonywał ją Przemcio. – A koleżanki?

– Przemuś – zaczęła Joanka – te najbliższe ze studiów powyjeżdżały. A pozostałe... Iwona za chwilę rodzi bliźniaki, Asia od dwóch lat siedzi w Anglii, Iza z trójką dzieci... I wiecznie przynajmniej jedno z nich chore. – Wzruszyła ramionami. – Poza tym nie chcę nikogo zadręczać swoimi małżeńskimi problemami. Niech każdy ciągnie swój wózek... Najwyraźniej w pewnym wieku pozostaje człowiekowi tylko własne dziecko.

– Albo Oluś – stwierdził Oluś.

– No właśnie – przytaknął Przemcio.

– Zabiorę cię do kina. Lub na kolację – zaproponował Oluś. – Zresztą będziemy robić wszystko, na co będziemy mieli ochotę.

– Oluś! – przystopował go młodszy brat.

– Będę dżentelmenem. Obiecuję! – zapewnił Oluś, wkładając czarne okulary. – Gdzieżbym śmiał?! To co, idziemy?

– A Matylda?

– No przecież śpi – zwrócił jej uwagę Oluś. – Przemcio z nią posiedzi. A jak się obudzi, to polula, przewinie, da mleka. On potrafi. Ma przecież swoje.

Joanka spojrzała na Olka z dezaprobatą. Wyrwała kartkę z notesu i zapisała:

Jeśli będzie płakać, najpierw ją pogłaskać. Jeżeli to nie pomoże, dać ciepłej wody. Jeśli i to nie pomoże, dać herbatki (jabłko i melisa, u góry w szafce, 1 łyżeczka na 100 ml), a jeśli cały czas będzie źle, dać mleka (120 ml – 4 miarki).

Wręczyła kartkę Przemciowi.

— Masz mój telefon, prawda? — zapytała niespokojnie.

— Oczywiście.

— A swój masz naładowany? — chciała się upewnić. — Pokaż.

— Tak, Joanko, spokojnie. Naprawdę możesz iść. — Przemcio usiłował udowodnić, że jest wprost stworzony do tego, by zajmować się małymi Matyldami.

— Albo wiesz co? — Joanna wróciła z przedpokoju. — Jeśli będzie płakać, po prostu dzwoń. Przyjedziemy natychmiast, prawda, Oluś?

— Dziwnie mi tak bez wózka — stwierdziła Joanna, idąc do samochodu. — Odkąd Matylda się urodziła, chyba nigdzie się bez niej nie ruszałam. Wyrobiłam już sobie nawyk pchania czegoś przed sobą.

— Mnie możesz popchać — zaofiarował się Oluś dobrodusznie. — Patrycja mówi, że czasem trzeba odejść od dziecka. Ja jej wierzę. To mądra kobieta. Przemcio miał szczęście.

— A ty?

— Ja? — Oluś się uśmiechnął. — Na nasze pokolenie na razie przypada jedno szczęście. Pati wysyła mnie na studia do Gdańska, żebym sobie żonę przywiózł. A ja się boję.

– Ty się boisz? – zdziwiła się Joanna, łapiąc Olusia za biceps. – Przecież to same mięśnie. Jak taki facet może się czegokolwiek bać?

– Siłownia to nie wszystko. Tam nie uczą, jak kochać. Nie ma ćwiczeń na serce, a warto by je wzmocnić – odparł Oluś, ciężko wzdychając.

– Oluś, ty masz serce, nie musisz trenować! – krzyknęła Joanna.

– Mam, ale nieużywane. – Zarechotał.

– A klientki piekarni? – zapytała.

– No właśnie. Mało tych klientek. Większość klientów.

– Większość klientów? Kiedyś coś o tym wspominaliście...
– Dziewczyna była zdziwiona. – Ale...

– Joanko, o biznesie pogadamy z Przemciem po powrocie. Teraz podziwiaj wieczorny Gdańsk.

Joanka podziwiała. Do kina wprawdzie nie poszli, bo bała się wyłączyć telefon, ale za to zjedli kebab nieopodal starówki i pospacerowali wzdłuż Motławy, rozmawiając o wszystkim i o niczym.

To był bardzo przyjemny wieczór. Przy Olusiu Joanka czuła się jak kruszynka i ktoś wyjątkowy, no i miło było pozwolić komuś, by się nią zaopiekował. Od dawna jej się to nie przydarzało.

Kiedy wrócili do domu, z pokoju Matyldy dobiegało głośne chrapanie. Tusia zaciskała piąstkę na kciuku siedzącego przy łóżeczku Przemcia, wydającego z siebie dźwięki, które mogłyby obudzić umarłego. Dziewczynce zupełnie to nie przeszkadzało. Spała słodko, bardzo zadowolona z życia.

— My już pojedziemy — szepnął Oluś, gdy udało im się dobudzić Przemcia. — Dziękuję za miły wieczór. Dawno nie byłem pod Neptunem.

— Ja również dziękuję — odparła z uśmiechem Joanna. — Było mi to potrzebne...

— Jasne, że było! — wtrącił się Przemcio. — Patrycja mówi, że jak kobieta cały czas siedzi w domu z dziećmi i nic nie robi, to jej się mózg lasu...

— Ciii — przerwał mu Oluś. — Po prostu powinna mieć odskocznię. Tak?

— No właśnie. Odskocznię. — Przemcio chrząknął. — To miałem na myśli.

Joanka faktycznie potrzebowała odskoczni od codzienności, nawet jeżeli tę swoją codzienność kochała nad życie. Nawet jeżeli po kilku godzinach już za nią tęskniła.

Potrzebowała czegoś, co jej da satysfakcję, czegoś, co spowoduje, że poczuje się ważna, a nie sprowadzona do roli kogoś, kto daje mleko i zmienia pieluchy. Z mocnym postanowieniem znalezienia odskoczni Joanka odłożyła książkę *Język niemowląt*, dzięki której jej córka miała wyrosnąć na anielskie dziecko,

i sięgnęła po gazety, które zostawili na stole bracia Kwiatkowscy.

Miłość na przekór wszystkiemu, *Spotkanie po latach*, *Na zawsze
razem*... Jeden tytuł lepszy od drugiego. Opowieści z życia
wzięte. Zajrzała na koniec jednej z nich. Jej uwagę przykuło
ogłoszenie.

JEŻELI MASZ LEKKIE PIÓRO, ZAPAŁ DO PRACY I KOCHASZ SŁOWA, NAPISZ DO NAS!

nr ref.: redaktor.04

*Wybrana osoba będzie odpowiedzialna za tworzenie tek-
stów do czasopisma oraz do serwisu internetowego. Do jej za-
dań należeć będą m.in.: pisanie, redagowanie i publikacja
tekstów, galerii i plików wideo w ramach serwisu internetowego oraz tworzenie artykułów do czasopisma.*

Oczekujemy:
- *ogólnej znajomości tematyki kobiecej (fitness, diety, moda,
  zdrowie, uroda itp.)*
- *rozeznania na rynku portali/serwisów kobiecych, także za-
  granicznych*
- *rozeznania na rynku prasy kobiecej oraz programów tele-
  wizyjnych*
- *lekkiego pióra, elastyczności w doborze tematyki, szybkości
  w działaniu/pisaniu*

- *zaawansowanej znajomości internetu oraz obsługi kompu-tera*
- *znajomości języka angielskiego na poziomie pozwalającym na tłumaczenie tekstów*
- *energii, kreatywności, zapału do pracy, solidności*

Joance zabłysły oczy. Do tej pory pisała jedynie listy do ciotki. Odkąd Matylda odeszła, bardzo jej tego brakowało. Może by tak spróbować? Najwyżej się nie uda.

Pełna zapału położyła laptopa na kolana i zaczęła pisać:

— Iga, zostaw tę łopatkę! Nie należy do ciebie! — Zdenerwowana Agnieszka po raz chyba setny wyjęła z małej łapki córki zieloną ło-patkę i oddała chłopcu bawiącemu się z Igą. Usiadła z powrotem na brzegu piaskownicy z nadzieją na przeczytanie kawałka rozdziału.

Tego dnia Iga była wyjątkowo nieznośna. Jak nigdy.

Agnieszka musiała wyjść z domu, bo na nic już nie miała siły. Wojtek odszedł dokładnie cztery miesiące temu. Zostawił ją z Igą i całym domem na głowie. Poszedł szukać własnej drogi w życiu.

Jego „własna droga w życiu" nazywała się Renata i była ekspe-dientką w sklepie z bielizną. Los okazał się wielce złośliwy, bo Woj-tek trafił na nią w momencie, gdy kupował bieliznę w prezencie dla Agi.

Między nimi psuło się już dawno, potem ta wpadka z Igą. Uśmiechnęła się, spoglądając na córkę. Chyba najlepsza wpadka w jej życiu...

Kiedy skończyła, załączyła plik do e-maila, dodała kilka opowiadań, które miała na dysku twardym, a zamiast listu motywacyjnego napisała, że jest na urlopie macierzyńskim i w związku z tym ma całkiem sporo czasu, że zawsze lubiła pisać i że bardzo chciałaby się sprawdzić jako redaktorka.

Chuchnęła na monitor i kliknęła „Wyślij". I zaraz o tym zapomniała.

Była druga w nocy. Czas mija bardzo szybko, szczególnie jeśli poświęca się go na przyjemności...

Przyszedł jej na myśl Piotr, a wraz z nim, niestety, Ivalo. Odruchowo weszła na jej profil na Facebooku. Kolejne zdjęcia, tym razem bez Piotra. Czyżby nie pojechała? On w dalszym ciągu się nie odzywał...

Joanna westchnęła, przebrała się w piżamę, załadowała zmywarkę, sprawdziła, czy Matylda jest dobrze przykryta, i położyła się do łóżka.

Śniło jej się, że w piaskownicy poznała miłość swojego życia, i miała ogromny problem. Nie wiedziała, jak o tym powiedzieć mężowi. Bo przecież będzie mu smutno. A Joanka nie lubiła nikogo zasmucać.

Nie mogła tego zrobić Piotrowi.

Nawet we śnie.

Nie była aż tak niedobra.

Nie tak jak Ivalo.

Pocztówka

Cisna, 10 lipca 2004 r.

Pozdrowienia z wakacji przesyłam ja.

Ciociu, tu jest cudnie! Do tej pory jedynymi górami, jakie się dla mnie liczyły, były Tatry. Ale nie znałam Bieszczad! Miałaś rację, przydał mi się wypoczynek. Towarzystwo wyborowe... Dużo nowych znajomości. Wczoraj zaliczyłam kilkunastogodzinną trasę z Piotrem. Ciociu, jeszcze takiego człowieka nie spotkałam. Napiszę w liście, jeśli znajdę trochę czasu, bo na pocztówce mi się nie zmieści. Pa!

Joanka

Tajemnica piekarni

– No i znowu nie powiedziałeś jej o piekarni – rzekł z wyrzutem Oluś do brata. – Miałeś to zrobić.

– Ja? Dlaczego ja? – Przemcio wzruszył ramionami. – Ty jesteś starszy, to ty mów.

– Jakoś nie było okazji... – zmieszał się Oluś.

– Jak to nie było okazji? To o czym wyście cały wieczór rozmawiali? – zdziwił się Przemcio. – O pogodzie?

– Ojej. O pogodzie też... O biznesie nie było okazji.

– Musimy jej powiedzieć – upierał się młodszy brat.

– Musimy – zgodził się Oluś.

– Dzisiaj? Pojedziemy do niej wieczorem i pogadamy.

Przekazanie informacji o tym, czym naprawdę była piekarnia, stanowiło dla braci Kwiatkowskich nie lada wyzwanie. Gdy informowali o tym ciotkę Matyldę, również mieli pewne opory, ale tak naprawdę wtedy wyręczyła ich Patrycja. I poszło jak z płatka. A teraz? Jak to zrobić? Wejść do domu przyzwoitej kobiety, matki, i powiedzieć, że jest współwłaścicielką najlepiej prosperującego sex shopu w województwie warmińsko-mazurskim? Że po kilku dniach funkcjonowania sklepu internetowego musieli zainwestować w lepszy serwer, bo poprzedni nie zniósł natłoku klientów?

A może powiedzieć jej, że żona burmistrza bardzo lubi bieliznę w kolorze śliwki? Czy raczej, że jej mąż lubi? Nieważne. Ważne, że zaczęli rozróżniać kolory. I wszystko dzięki Patrycji. Może szepnąć co nieco o upodobaniach szefa straży pożarnej? Albo dyrektora szpitala? Prokuratora? Szefa policji? Wszyscy byli klientami piekarni. To znaczy sex shopu Słodkie Ciasteczko.

A może by jej na zachętę przywieźć jakiś gadżet? A może raczej bieliznę? Na oko Olusia, rozmiar 70 C, ale pewnie te brafitterki zrobiłyby z tego jakieś „ZZ". Kiedy Joanna dowie się już o biznesie, to Pati ją wymierzy i da się jej jakieś koronkowe cudo. Albo nawet dwa. Ponoć Pati wspaniale dobiera biustonosze. Nawet na forach dyskusyjnych jest o niej głośno. Jedno z nich nazywa się Lobby Biuściastych. Taką reklamę im zrobiło, że hej.

No, ale teraz problemem nie była reklama. Interes się kręcił. Teraz czekała ich rozmowa, która nie zapowiadała się łatwo...

Rzeczywiście nie poszło łatwo.

Bracia zapowiedzieli, że przyjdą wieczorem, jak tylko Matylda zaśnie. Punkt dwudziesta pukali do drzwi Joanny, gdyż — jak się okazało — dzwonek akurat się zepsuł. Weszli więc i od razu go naprawili, potem jednak zobaczyli, że listwa podłogowa odchodzi od ściany, że kran w kuchni cieknie, że drzwi do pokoju Matyldy bardzo skrzypią...

Przykleili listwę, zmienili uszczelkę w kranie, nasmarowali zawiasy, wymienili żarówkę w korytarzu i zaraz potem usłyszeli głośne ziewanie Joanny.

– Chłopaki... Ja wam bardzo dziękuję – znowu ziewnęła – ale wiecie... Bardzo was przepraszam... Muszę wstać rano do Tysi... Już nie bardzo mogę siedzieć...

– Mieliśmy pogadać o biznesie – jęknął Oluś.

– Pogadamy, Oluś. – Poklepała go po umięśnionych plecach. – Ale może kiedy indziej? Ja wam w pełni ufam i wiem, że należycie prowadzicie piekarnię. Ciotka mówiła, że mam dwadzieścia procent. A na pieczeniu chleba i tak się nie znam. Więc raczej wam nie pomogę. Macie swoje własne recepty na sukces. Za to coś wam dam. – Wyciągnęła z szafy trzy ślicznie zapakowane zawiniątka. – Po jednym dla was i dla Patrycji. Ale otwórzcie dopiero w piekarni.

Mężczyźni przyjęli podarunki z lekkim rozczarowaniem. Znowu się nie udało.

– Oluś, idziemy. – Przemcio pociągnął brata za rękaw. – Pogadamy kiedy indziej...

I tak kolejne podejście do rozmowy o biznesie zakończyło się fiaskiem, ku rozpaczy Olgierda. Oluś był poczciwym człowiekiem, nie znosił tajemnic i niewyjaśnionych sytuacji. Męczyły go sekrety. Lubił jasność we wszystkim, co robił. Dla niego nic nie było szare, tylko albo czarne, albo białe. Żadnych półcieni.

Musiał zawsze mieć jasno określony kierunek działania. To on był tym, który w interesach dbał o porządek i wytyczanie konkretnych celów. To on był tym, który przesiewał przez sito plany i marzenia Przemcia. To on sprowadzał brata na ziemię, gdy zbyt wysoko fruwał...

Bardzo przeszkadzało mu to, że współwłaścicielka firmy myśli, iż jego ukochane Słodkie Ciasteczko jest piekarnią. A piekarnią nie było zdecydowanie, o czym wiedzieli burmistrz, jego żona, szef straży pożarnej i dyrektor szpitala. Szef policji również. Niebawem zaś mieli się dowiedzieć mieszkańcy Trójmiasta, bywający w okolicach ulicy Grunwaldzkiej w Gdańsku.

Słodkie Ciasteczko, zwane „piekarnią", i tam miało odnieść sukces, jednak na to trzeba było chwilę poczekać.

Jeżeli zaś chodzi o sukcesy właścicielki dwudziestu procent intratnej „piekarni", to Joanna pierwszy odnotowała rano, spała bowiem bez przerwy do godziny siódmej.

Obudziła się przerażona. Nie słyszała Matyldy! Serce skoczyło jej do gardła i w tym gardle teraz biło z niewyobrażalną prędkością, a żołądek przewrócił się na drugą stronę. Przynajmniej tak jej się wydawało.

Zerwała się z łóżka.

„Coś się stało!" – pomyślała ze zgrozą. Podbiegła do córeczki. Dziewczynka wyglądała całkiem zwyczajnie. Czyli po prostu pięknie, jak każdego dnia.

„Nie żyje!" – przemknęło przez głowę zatrwożonej Joance. Dotknęła dziecka. Było ciepłe.

„Nie oddycha! – Przysunęła ucho bliżej. Nic nie usłyszała.

– Boże, jak sprawdzić, czy nic jej się nie stało?".

Przyłożyła palec do policzka córki. Nic. Podrapała. Nic.

– Uszczypnę ją! – szepnęła wreszcie, by dodać sobie odwagi. Tak też zrobiła. Matylda niecierpliwie odsunęła jej rękę.

– Uff... Żyje... – Joanna odetchnęła z ulgą. Pierwsze siedem godzin nieprzerwanego snu Matyldy. Nie do wiary.

Uśmiechnęła się do córki, która w końcu się obudziła.

– Powiedz: „mama" – wyszeptała.

– Gu – odpowiedziała rezolutnie Matylda.

– Dobra, na początek może być – zgodziła się Joanna, po czym rozchyliła piżamę i mocno przytuliła dziecko do piersi.

Bracia Kwiatkowscy wrócili z Gdańska do domu z poczuciem nie do końca spełnionej misji. Na grobie ciotki byli. Grób Frędzla odwiedzili i sprawdzili, jak rośnie kocimiętka. Na studia się zapisali. Ale nie porozmawiali z Joanką o biznesie.

Cóż, czasem nie da się zrealizować wszystkich planów.

Gdy tylko w poniedziałek w południe udali się do pracy, wzięli się do rozpakowywania ślicznie zawiniętych paczuszek, które dostali od Joanny.

W tym samym momencie do sklepu weszła burmistrzowa, która od pewnego czasu była ich stałą klientką. Nie zawsze coś kupowała. Czasem przychodziła po prostu na pogaduchy. – Bo to zawsze fajnie wiedzieć, co chłop myśli i co lubi – powtarzała. – Mój mi tego nie powie. On by chciał, żebym ja od razu wszystko wiedziała. A to nie zawsze idzie łatwo. No, ale odkąd jest piekarnia i wiem, co chłop myśli, jest mi z nim dużo lepiej.

Na początku burmistrz nie był zadowolony z tego rodzaju przedsięwzięcia w jego mieście. Bywały chwile, kiedy osobiście zamierzał wybić szyby w lokalu na rynku albo chociaż wymalować na nich sprejem umoralniające hasła. Powstrzymywał go jedynie szacunek dla ciotki Matyldy i ich długoletnia znajomość. Zmartwiłaby się bardzo, a nie chciał jej tego robić. Dopiero Oluś ze stoickim spokojem wytłumaczył burmistrzowi (wręczając mu gadżety reklamowe), że im większe sklep ma dochody, tym więcej miasto ma pieniędzy z podatków. A im większy dochód dla miasta, tym więcej inwestycji. I się kręci. I wszyscy są szczęśliwi.

Burmistrz przejrzał na oczy i tak się zapalił do tej inicjatywy, że gdyby w sex shopie sprzedawano mleko albo masło, z pewnością kupowałby je codziennie. Na razie jednak musiał wysyłać żonę.

Tak było i tym razem. Małżonka weszła akurat w momencie, gdy Przemcio rozpakował prezent dla Patrycji. Rozłożył piękny koronkowy fartuszek z napisem „Piekarnia Słodkie Ciasteczko" i jęknął. Zaraz po tym pochwycił zachwycony wzrok pani burmistrzowej.

– Muszę to mieć – oznajmiła. – Ile to kosztuje?

– Joanko, przeszkadzam? – Przemcio zadzwonił do Joanny, gdy tylko żona burmistrza wyszła ze sklepu. Wymusiła na nich obietnicę, że zamówią jej trzy takie fartuszki. I oświadczyła, że jeżeli nie zrobią z tego gadżetu reklamowego, to będą frajerami.

Oluś i Przemcio w żadnym razie nie chcieli być frajerami, w szczególności w oczach żony burmistrza, która stała się osobą bardzo wpływową, odkąd kupowała w piekarni. Wpływową w odniesieniu do burmistrza. Takiej osoby nie wolno lekceważyć.

Przemcio usłyszał w słuchawce płacz dziecka.

– Joanko, chyba ci przeszkadzam, zadzwonię później – wymamrotał zmieszany.

– Przemciu, nie, nie. Czekaj, tylko wezmę ją na ręce – płacz zmienił się w kwilenie – i dam ci ją do słuchawki.

Przemcio westchnął i usłyszał dźwięk, jakby ktoś właśnie zjadał słuchawkę.

– Tysia! Tego się nie je! – w sekundę potem dobiegł go karcący głos Joanny. Ha! Miał rację.

– No dobra, już jestem. Chyba jej zęby idą. Ma trzy miesiące, ślini się, to co innego? Ryczy i ryczy. – Joanna westchnęła.

– Masaż brzuszka robiłaś? – zaniepokoił się ojciec dwóch córek.

– Robiłam, ale nie do końca wiem jak. Tu piszą, żeby masować zgodnie z ruchem wskazówek zegara, tam – że odwrotnie, zwariować można. Nie spałam pół nocy, bo ona spała.

– Zgodnie z ruchem, Joanka, tak jak jelita idą. Nie spałaś? Może przyjechać do ciebie?

– Jak to przyjechać? Przecież nie będziesz jechał sto sześćdziesiąt kilometrów tylko dlatego, że Tysię boli brzuch – stwierdziła Joanka racjonalnie. – Kto by się wtedy zajął piekarnią?

– No właśnie, piekarnia – przypomniał sobie Przemcio. – Na początku chciałem ci bardzo podziękować za prezenty. Burmistrzowa u nas była i prosi o taki sam. Powiedziała, że to fajny gadżet reklamowy. Czy możesz nam powiedzieć, gdzie je zamawiałaś? Zamówimy więcej.

Joanna się roześmiała i obiecała wysłać mailem namiary na sprzedawcę. Gdy tylko Przemcio odłożył słuchawkę, do sklepu ponownie wpadła zziajana burmistrzowa.

– Chłopaki, mam superpomysł! – krzyknęła od progu, wymachując torebką. – Można z tego zrobić biznes!

Oluś i Przemcio spojrzeli po sobie. Superpomysłów mieli pod dostatkiem, a kolejnej wspólniczki nie chcieli, skoro z jedną trudno im było szczerze porozmawiać...

– Zamówcie te fartuszki, dokupcie pończochy, stringi i czepki i sprzedawajcie jako strój bardzo seksownej kuchareczki. Mówię wam, to trafi. Ja też chcę być seksowną kuchareczką!

Mimo wszystko bracia nie potrafili sobie wyobrazić korpulentnej pani po pięćdziesiątce w roli seksownej kuchareczki.

– Moglibyście też dołączać do zestawu wałek do ciasta – zawołała jeszcze na odchodnym.

– Pati, ona chciała, żebyśmy sprzedawali w naszej piekarni wałki do ciasta – poskarżył się Przemcio żonie po powrocie do domu. – Czy my jakiś gees jesteśmy? Przecież ten strój seksownej kuchareczki to jakiś chory pomysł!

– Poczekaj chwilę – powiedziała jego mądra żona. – Sprawdzimy, czy to rzeczywiście taki zły pomysł. Zaraz wrócę.

Przemcio ufał żonie. Był przekonany, że znajdzie ona rozwiązanie wszystkich jego problemów. Tak stało się i tym razem. Po kilku minutach Patrycja weszła do pokoju ubrana jedynie w fartuszek, majteczki, których nie było widać, i białe pończochy z koronką. Włosy splotła w dwa warkocze, a na stopy włożyła swoje najwyższe szpilki.

– Życzy pan sobie bułeczkę? – zapytała uprzejmie.

Oj, i to jeszcze jak sobie życzył. Po godzinie spędzonej w objęciach słodkiej kuchareczki Przemcio stwierdził, że burmistrzowa tym razem miała rację. Fartuszek spełnił swoją funkcję, choć niekoniecznie taką, do jakiej był przeznaczony.

– Pati, przejrzyjmy katalog – zaproponował. – Musimy wybrać elementy stroju. – Przyjrzał się żonie. – Czepeczek też by się przydał. Albo kokardy na warkoczach.

Kilka godzin po tym, jak Patrycja zaoferowała swojemu mężowi świeże bułeczki, Joanna z zapartym tchem czytała maila.

Bardzo spodobały nam się Pani opowiadania. Chcielibyśmy, aby pisała Pani dla naszego tygodnika. Czy jest Pani zainteresowana?

– O Boże! Bardzo! – zawołała do Matyldy Joanna. – Bardzo!

Piotr na razie przysyłał pieniądze, ale nie miała pewności, jak długo będzie to trwało. A przecież nie mogła zostawić Matyldy i pójść do pracy…

Sięgnęła po telefon, wystukała numer redakcji.

– Dzień dobry, tu Joanna Kownacka. Przed chwilą dostałam maila z propozycją pisania opowiadań...

– Ach, dzień dobry! Bardzo mi miło panią słyszeć – odezwał się przyjemny głos po drugiej stronie. – Pani opowiadania są świetne, w szczególności dwa. O piaskownicy i o tym, jak powrócili do siebie po latach. To trzecie trochę mniej – kontynuowała redaktorka – bo wie pani, to dość nierealnie, by mąż zostawił młodą żonę z dopiero co urodzonym dzieckiem i wyruszył na wyprawę na Spitsbergen. A nasze czytelniczki lubią realne historie, proszę pani.

Ba. Joanka też lubiła realne historie.

Gdańsk, 20 lipca 2004 r.

Kochana ciociu!

Chyba się zakochałam. A już myślałam, że po śmierci rodziców i licznych miłosnych niewypałach nie jestem zdolna do takich uczuć. Bo po co się do kogoś przywiązywać, skoro jego odejście potem tak boli?

Nazywa się Piotr i jest geologiem. A w zasadzie marynarzem geologiem. Interesuje się nunatakami. Kiedy usłyszałam o tym po raz pierwszy, pomyślałam, że to jakieś małe puchate zwierzątka, ale okazuje się, że to są skały! Dokładnie nie będę Ci tego opisywać, chociaż po kilku randkach mogłabym zostać ekspertem w tej dziedzinie!

Ciociu, Piotr jest prawdziwym mężczyzną. Takim, o jakim marzyłam. Pierwszym mężczyzną naprawdę odpowiedzialnym i zorganizowanym. Który wie, czego chce. Bardzo mi to imponuje.

Czasem myślę, że potrzebna mi taka silna osobowość po stracie taty... Przy Piotrze wreszcie znów mogę być małą dziewczynką. I bardzo mi to odpowiada.

Spędzamy ze sobą teraz dużo czasu, bo za tydzień Piotr jedzie na kolejną ekspedycję. Trochę jest niezadowolony, bo wysłali go gdzieś na południe, na wybrzeża Polinezji Francuskiej. Ciociu, ja nawet nie miałam pojęcia, że coś takiego istnieje.

A on woli Grenlandię, Spitsbergen i Antarktydę. Lubi zimny klimat (chyba ze względu na te specyficzne skały). No ale powiedziałam mu, że trzeba marzyć. I że marzenia się spełniają.

Dzisiaj jedziemy na Kaszuby, do jego znajomych z ogólniaka. Dobrze, że są wakacje, ale gdzieś z tyłu głowy włącza mi się myśl, że trzeba szukać pracy. Wysłałam kilkanaście CV – na razie cisza. Mama Piotra pracuje w urzędzie miejskim, ma się zorientować, czy tam kogoś nie potrzebują. Na początek byłoby wspaniale. Urząd plus korepetycje pozwoliłyby mi się utrzymać na całkiem niezłym poziomie. Może nawet pojechałabym do niego?

Ale wiesz co, ciociu? Fajnie jest. Nie mogę o niczym innym myśleć i świat wiruje mi w głowie. To chyba miłość?

Joanka

Konferencja w Sztokholmie

Na Facebooku pojawiło się zdjęcie zatytułowane *Academic Conference at Stockholm. July 2007.* Nie byłoby w tym nic dziwnego, gdyby na zdjęciu obok jasnowłosej pani naukowiec nie stał Piotr. Osobisty mąż Joanki. I gdyby rzeczony Piotr się nie uśmiechał. I gdyby tenże Piotr nie skomentował zdjęcia Ivalo Jonsdottir słowami w języku obcym, którego niestety Joanka nie rozumiała. Musiał to być szwedzki. Ale nie to było ważne. Ważne było to, że komentarz został umieszczony trzy godziny temu.

Czyli Piotr miał internet.

Ale nie napisał maila do Joanki.

I w żaden inny sposób nie próbował się z nią skontaktować.

Spojrzała na telefon – żadnego esemesa, żadnych dzwonków. Nic. Kliknęła „Wyślij i odbierz" w skrzynce mailowej. Nic. Sprawdziła w spamie. Nic. Wybrała numer męża. Sygnał, sygnał... Nie odebrał.

– Cholera – wymsknęło się Joance. – Nie przy dziecku! – skarciła samą siebie.

Matylda właśnie leżała na podłodze, bo zgodnie z wszelkimi poradami zawartymi w gazetach dla mam, które Joanna czytywała w ilościach hurtowych, nie należało ograniczać dziecku pola manewru.

Dziecko leżało zatem na podłodze, gaworząc i obserwując matkę, a ta, niczym detektyw, starała się rozwikłać zagadkę lipcowej konferencji w Sztokholmie.

– Inny telefon – wymamrotała. – Potrzebuję innego telefonu. Tysia, idziemy na spacer – rozkazała tonem nieznoszącym sprzeciwu, jakby Tysia mogła mieć inne plany.

Joanna kupiła w sklepie nową kartę telefoniczną i natychmiast włożyła ją do swojego aparatu. Idąc wzdłuż głównej ulicy we Wrzeszczu, jeszcze raz zadzwoniła do Piotra.

Po krótkiej chwili odebrał, przedstawiając się z angielskim akcentem.

– Cześć, kochanie – powiedziała Joanka.

– Joanna? – wydawał się zaskoczony.

– A kogo się spodziewałeś? Czy ktoś jeszcze mówi do ciebie „kochanie"? – zapytała.

– Joanko, no co ty... Nikt – odpowiedział. I pewnie zgodnie z prawdą. Być może Ivalo mówiła do niego czule, ale po szwedzku albo po angielsku.

– Gdzie teraz jesteś? – Przystanęła pod remontowanym sklepem, w którym właśnie ktoś malował ściany na bordowo.

– Gdzie? W drodze na Spitsbergen.

– Wyjechałeś już ponad dwa tygodnie temu i w dalszym ciągu jedziesz? Wiem, że Spitsbergen leży na końcu świata, ale bez przesady.

– Kochanie… Konferencja mnie zatrzymała.

– Konferencja, mówisz… Czy konferencja jest długowłosą blondynką o imieniu Ivalo? Czy coś mi się pomyliło?

– Kochanie, jeżeli pytasz, czy byłem z Ivalo na konferencji, to tak, byłem – powiedział Piotr spokojnie. – Wygłaszała tam referat.

W słuchawce zapadła niezręczna cisza.

– Kiedy wracasz? – zapytała Joanna.

– Przecież dopiero wyjechałem. Wiesz, że nie mogę zaraz wracać.

– No tak… Głupie pytanie… – Joanna westchnęła. – Nawet nie zapytasz o Matyldę?

– Jak tam Matylda?

– Wymusiłam to pytanie. Sam byś nie zapytał… Czy ciebie w ogóle interesuje nasze dziecko?

– No, mów co u niej – ponaglił z irytacją.

– Zaczęła chodzić – oznajmiła Joanka. – Jeszcze trochę niepewnie, ale przejdzie już całą drogę z domu do sklepu. Chociaż samej na razie jej nie puszczam.

– Naprawdę? Chodzi już? Brawo, mała! – krzyknął Piotr.

– Piotrek… Czy ty jesteś normalny? – zdenerwowała się Joanna. – Czy kiedykolwiek słyszałeś, by trzymiesięczne dziecko umiało chodzić?

Po drugiej stronie zapadło milczenie.

– Piotrek, słyszysz mnie? – zawołała w słuchawkę.

– Słyszę – odpowiedział. – Po co ze mną tak pogrywasz?

– Ja?! Ja pogrywam?! A kto mnie zostawił i pojechał po raz tysięczny oglądać te cholerne nunataki?! I to z jakąś blondynką, która na Facebooku afiszuje się znajomością z moim mężem? Kto nie odbiera telefonów ode mnie? Kto nie odpisuje na maile? Ja? I to niby ja pogrywam?

Usłyszała w słuchawce damski głos w tle.

– Joanno, kończę. Zadzwoń, gdy będziesz miała lepszy humor – rzucił Piotr oschle i się rozłączył.

Joanna z niedowierzaniem spoglądała na telefon. Ona z nim pogrywa. Jasne.

– Wiesz, mała… – powiedziała do Matyldy. – Dobrze, że mamy siebie.

Córeczka obdarzyła ją słodkim uśmiechem.

Matylda wprawdzie nie umiała jeszcze chodzić, co zupełnie naturalne, ale rozwijała się jak najbardziej prawidłowo, a według swojej matki (jak to zwykle bywa) – nawet ponadprzeciętnie. I oczywiście była najpiękniejsza na całym świecie. Co zaskakujące, miała już na tyle długie włosy, że dawało się je spinać. A jakie stroje nosiła… Joanka zadbała o ubranko niemal na każdą okazję. No właśnie. Okazję. Przydałoby się zrobić chrzciny. Ale kiedy, skoro mąż na Spitsbergenie? Kiedy wróci… No ale jak na to zareaguje ciotka Matylda, że dziecko wciąż jest nieochrzczone?

Ciotka nigdy nie była przesadnie religijna, jednak miała swoje zasady. Kiedyś siedziały u niej w pokoju, jeszcze w miasteczku, Matylda jak zawsze w bujanym fotelu, i rozmawiały. To było zaraz po śmierci rodziców Joanny, wtedy, gdy Frędzel zachorowała.

— Pójdziesz do proboszcza i dasz mu tę kopertę — oznajmiła ciotka. — To na mszę za Frędzla.

— Za Frędzla? — zdumiała się Joanna. — Na mszę?

— No co, Joanko? Frędzel też człowiek — stwierdziła ciotka Matylda. — Taki kot to czasem nawet lepszy niż człowiek. Pójdziesz do kościoła, dasz proboszczowi pieniądze... Ja wiem, że jesteś obrażona na Boga. Może pora to zmienić? Może pora ponownie zaufać?

Joanna siedziała ze spuszczoną głową. Od śmierci rodziców nie mogła się pogodzić z tym, że Bóg, uosobienie dobra, zabrał jej rodziców i zostawił ją samą w wielkim świecie, pełnym niebezpieczeństw i trudnych wyzwań. Była przekonana, że nic nie będzie takie, jakie było dawniej, i że jej wszystkie plany legły w gruzach. Na Boga obraziła się w momencie, kiedy na wielkanocnej mszy wszyscy się cieszyli, że Chrystus zmartwychwstał, głośno śpiewali, a ona stała w kącie kościoła i płakała. To było zaraz po pogrzebie.

A teraz miała iść do proboszcza z kopertą. I to z powodu Frędzla.

— Ciociu, muszę tam iść? — Spojrzała na Matyldę błagalnym wzrokiem.

– Nie musisz, Joanko – odparła ciotka. – Ale bardzo cię o to proszę.

– A więc zrobię to dla ciebie – szepnęła dziewczyna.

– Dziękuję ci, Joanko. I wiesz... Ze wszystkimi trzeba żyć dobrze. I z proboszczem, i z policjantem, i ze złodziejem, i z Bogiem też. Przede wszystkim z Bogiem.

– Ciociu! – zawołała oburzona Joanna. – Ze złodziejem i z Bogiem? Co to za zestawienie?

– Tak, kochanie. Nie możemy oczywiście popierać złodziejskich czynów. Ale każdy może zbłądzić i pójść w niewłaściwą stronę. I wtedy można go lekko nakierować. Wiesz, Joanko, wszystko, dosłownie wszystko oparte jest na relacjach z innymi ludźmi. Musimy ze sobą współpracować, by osiągnąć sukces.

– Czasem po prostu się nie da – stwierdziła Joanna. – Czasem masz zły dzień, nie chcesz być miła, a czasami ktoś może próbować cię wykorzystać. Albo, jak jest okazja, ty możesz próbować ją wykorzystać...

– Joanko, metoda „po trupach do celu" nie popłaca. Bo w końcu możesz sama zostać z tymi trupami, po których deptałaś. A to niezbyt przyjemne... Wszystko da się załatwić inaczej. A zły dzień? Trzeba go schować do kieszeni! – Uśmiechnęła się.

– Ciociu, a jak ty to załatwiasz? – zapytała Joanna.

– Powtarzam sobie, że ludzie są mili i fajni. Dokładnie tacy sami jak ja! Wszyscy mają podobne problemy i mogą też mieć złe dni. A jeżeli my jesteśmy mili i uczciwi wobec tych,

z którymi współpracujemy, to dlaczego oni mieliby się zachowywać wobec nas inaczej? Najgorsze, co może nas spotkać,
gdy poprosimy o pomoc, to odmowa. Ale to również trzeba
uszanować, zrozumieć... Prawda?

– Więc mam powiedzieć proboszczowi, żeby odprawił mszę
w intencji kota?

– Oczywiście.

– To świętokradztwo!

– Dlaczego? Ja kocham Frędzla. Frędzel to stworzenie boże. Dzięki niej mój świat jest piękniejszy. Dlaczego ksiądz nie
miałby się pomodlić za moją przyjaciółkę?

– No tak... – przytaknęła Joanna. – Dobrze, ciociu, pójdę
do proboszcza. A mogę poprosić, żeby... za moją maturę też
się pomodlił?

Ciotka się roześmiała.

– Do matury musisz się uczyć. Bez tego nic nie wyjdzie.

– Masz rację... – zmartwiła się Joanna.

– Ale na pewno nie zaszkodzi, jeśli powiesz proboszczowi
o maturze.

– No tak, jak trwoga to do Boga.

– Ech, zaraz trwoga. Po prostu trzeba się zabezpieczyć na
wszystkich frontach, kochanie. Ja, na przykład, byłam także
u weterynarza. Pamiętaj, zabezpieczenie na wielu frontach.

Wtedy Joanna poszła do proboszcza. Zamiast niego przyjął
ją młody ksiądz, który spędzał wakacje w okolicy. Długo rozmawiali. Ksiądz otworzył jej oczy na pewne rzeczy.

Odprawił mszę specjalnie dla Frędzla.

Pomodlił się za jej maturę.

Frędzel wyzdrowiała, a maturę Joanka zdała doskonale.

Świat powoli stawał się piękniejszy...

Joanna patrzyła na Matyldę, która próbowała się właśnie przekręcić z brzucha na plecy, i pomyślała, że faktycznie należałoby się zabezpieczyć na wszystkich frontach. Chrzest się odbędzie. I to niebawem. Niezależnie od Spitsbergenu i od Ivalo. Nagle Joanka podskoczyła. Przecież nie miała chrzestnych! Ciotka Anka obraziła się za to, że nie zawiadomiła jej o pogrzebie Matyldy, chociaż akurat wtedy siedziała w sanatorium i nie było z nią kontaktu. Zresztą Matylda nie chciała pogrzebu z pompą. Tylko najbliżsi, czyli bracia Kwiatkowscy i Joanka, która na dodatek przebywała wtedy w szpitalu i sama o niczym nie wiedziała. Anka, niestety, nie była bliska... Matylda miała do niej żal, że zmusiła ją do wyprowadzki z Nowego Miasta, gdzie Oluś i Przemcio i tak otoczyliby ją opieką.

No a potem ta sprawa ze spadkiem.

Joanna nie dostała żadnej pamiątki po ciotce, chociaż Matylda obiecała jej komodę i piękny dywan. Komodę, w której gdzieś pomiędzy świeżo wykrochmalonymi pachnącymi obrusami zawsze były schowane pyszne czekoladki... Nawet gdy nie dało się ich kupić w sklepach, ciotka, która znała chyba wszystkich w mieście, w cudowny sposób je zdobywała. Specjalnie dla Joanki, Olusia i Przemcia...

Właśnie! Oluś i Przemcio! I Patrycja!

Kto odebrał młodą matkę ze szpitala i zadbał, by nie zwariowała w tych pierwszych dniach? Że też się nad tym w ogóle zastanawiała... Od dawna miała chrzestnych dla Matyldy!

Gdańsk, 1 sierpnia 2004 r.

Kochana ciociu!

Piotr pojechał, a ja nie wiem, co mam ze sobą zrobić. Wróci dopiero za trzy miesiące. To jedna czwarta roku. Nie wiem, jak wytrzymam. Jest już południe, a ja jeszcze nie wstałam z łóżka. Leżę i oglądam nasze wspólne zdjęcia. Śmieję się i płaczę na przemian. No nic. Mam jednak nadzieję, że z każdym dniem będzie coraz lepiej...

Jutro idę na rozmowę do urzędu. Jest wakat w wydziale skarbu. Może się uda? Tam nie pracuje pani Grażynka, mama Piotra, ale to i dobrze, bo wiesz, chyba nie byłoby właściwe pracować z przyszłą teściową.

Ciociu, tęsknię za Tobą. Przyjadę na przyszły weekend i wszystko Ci opowiem.

Joanka

Pogadali o biznesie i o kocie

— Raz, dwa, trzy, cztery, maszerują oficery, a za nimi pixie dixie, wykąpana w proszku Ixi, a za nimi krowy dwie, wykąpane w proszku E! — Oluś bawił się w najlepsze z Matyldą i można było się tylko zastanawiać, kto się głośniej śmieje.

Joanna przygotowywała obiad, na który zaprosiła świeżo upieczonych studentów przed ich pierwszym zjazdem.

— Hej, hej, kup se klej, heja, heja, nie ma klejaaaaaa! — dochodziło z drugiego pokoju. Zaraz potem dał się słyszeć głośny śmiech Matyldy na zmianę z basowym zawodzeniem Olusia.

— Panie Włodek, panie Włodek, niech pan powie, gdzie wychodek! Bo ja choooodze tu i tam, i w kaloszach pełno mam! — śpiewał Olgierd. Dziecko było nadzwyczajnie szczęśliwe.

— Chciałabym, abyś został ojcem chrzestnym Matyldy — powiedziała Joanna.

Oluś umilkł. Wpatrywał się w nią niewidzącym wzrokiem.

— Ej! — zawołała Matylda, gdy cisza się przedłużała. — Ej!

— Ej — westchnął Olgierd. — Ja ojcem chrzestnym? Ale przecież... Ojciec chrzestny to ma być wzór dla dziecka, wzór cnót i zasad moralnych. Wprawdzie jestem już chrzestnym Poli i Pelasi, ale wiesz, wtedy jeszcze byłem młody, nie miałem tylu grzechów na sumieniu...

– Olusiu, jesteś wzorem cnót! – zapewniła Joanna.

Wzór cnót usiadł na podłodze obok Matyldy. Oczy mu się zaszkliły.

– Naprawdę? – Popatrzył na dziecko. – Tysia, chcesz? Będziesz taka trochę moja. Będę cię odwiedzał, lalki ci kupował. I bawił się z tobą. I będę tych złych chłopaków odganiał, wiesz?

Joanka patrzyła na niego z uśmiechem. Do tego dużego mężczyzny nie pasowały łzy wzruszenia, podobnie jak lalki w jego wielkich męskich dłoniach.

– Joanko... Ale proboszcz mnie nie lubi... Wszystko przez ten biznes...

– Dlaczego cię nie lubi? Nie pierzecie chyba brudnych pieniędzy? – Joanna się roześmiała. – I nie czerpiecie zysków z nierządu?

– Prawie – wydusił z siebie Oluś i poczerwieniał.

– Prawie? – Zdumiona Joanna wzięła Matyldę na ręce.

Oluś westchnął.

– No i mówiłem. Bez rozmowy o biznesie się nie obędzie. – Spojrzał przez okno. – Poczekajmy na Przemcia, bo za chwilę możesz już mnie nie chcieć na chrzestnego. – Wyraźnie posmutniał. – Ale cokolwiek sobie o nas pomyślisz, pamiętaj, że w gruncie rzeczy jesteśmy dobrymi ludźmi!

Joanna była pełna najczarniejszych przeczuć. Natychmiast sobie przypomniała rozmowę z ciotką o tym, że z każdym trzeba dobrze żyć. Ze złodziejem również.

Handel kobietami? Raczej nie... Narkotyki? Hodowla marihuany na zapleczu piekarni? Faktycznie, ten bukiet, który kiedyś dostała, przybrany był czymś, co nawet wyglądało na konopie indyjskie. Boże. A może lichwiarstwo? Paserstwo?

Stała z małą Matyldą w objęciach, jakby chciała ją ochronić za wszelką cenę.

– Kotlety się przypalają – powiedział nagle Oluś. – Pójdę przekręcić.

Dziewczyna nie ruszyła się na krok z pokoju. Chciała poznać prawdę. Czarne bmw z przyciemnionymi szybami, obaj łysi, bez karków, ciemne okulary... W klacie więcej niż ona ma wzrostu. W bicepsie więcej niż u niej w talii. Tak. Tacy ludzie zwykle mają coś do ukrycia. Ale wobec tego jak ciotka mogła im zaufać? Przecież wspólnie prowadzili piekarnię!

– O cholera! – Joanna przerwała tok własnych myśli. – Przecież to nie jest piekarnia! – Czy ciotka wiedziała, że to nie jest piekarnia? – zapytała Olka, który właśnie rozkładał sztućce na stole w pokoju.

– Jasne. Wiedziała od samego początku. Zaakceptowała nasz pomysł i kibicowała nam gorąco.

– O Boże – jęknęła Joanna. – A tak niewinnie wyglądała.

W tym momencie do mieszkania wszedł Przemuś.

– Winko do obiadu kupiłem! – krzyknął od progu. – Joanka, ty już nie karmisz, prawda? Możesz się troszkę napić? Kalifornijskie, czerwone! A co tu taka grobowa atmosfera? – zapytał, patrząc na nich. – Stało się coś?

– No... – zaczął Oluś. – Joanka mnie poprosiła, żebym był ojcem chrzestnym Tysi...

– O! – Przemcio się uśmiechnął. – To dobrze, prawda? – Spojrzał na brata.

– No dobrze... Ale zdążyła już chyba zmienić zdanie – dodał zasmucony. – Przez ten nasz biznes...

– A co?

– No sam widzisz. Joanka już nas nie lubi.

Joanka milczała.

– I chyba nie chce już nas znać.

Bracia stali zasępieni i patrzyli na przyjaciółkę spod opuszczonych powiek.

– Joanko – westchnął Przemcio. – To sklep jak każdy inny. Można tam kupić ładną bieliznę.

– Sklep? Bieliznę? – Joanka otworzyła oczy ze zdumienia.

– No sklep – potwierdził Przemcio i przeniósł wzrok na brata. – A co ty jej powiedziałeś?

– Jeszcze nic – wyjąkał Olgierd.

– Jaki sklep? – Joanna wpatrywała się wnikliwie w braci.

– Sex shop – odpowiedzieli chórem.

– Taki z gadżetami, bielizną... I tak dalej – wydusił z siebie Oluś.

– Nie jesteście paserami? Ani dealerami narkotykowymi? – Joanka powoli dochodziła do siebie. – I nie prowadzicie domu publicznego?

– Joanko! – zatrwożył się Przemcio. – Czy myślisz, że szanowna pani starsza...

– Świeć, Panie, nad jej duszą...

– ...by na to pozwoliła? Jest to, można powiedzieć, dom uciech. Ale wszystko po legalu!

– I nasz burmistrz korzysta, i lekarz, i szef policji, i strażak, wszyscy – wymienił Oluś. – To normalny sklep, Joanko!

Dziewczyna odetchnęła z ulgą.

– To już lepiej – odparła z uśmiechem. – Ojciec chrzestny właścicielem sex shopu. Tego w żadnym kinie nie grali!

– Jest jeszcze coś – przypomniał Przemcio. – W dwudziestu procentach ten sex shop jest twój. No bo lokal jest twój. Po ciotce.

– O matko! Ja właścicielką sex shopu?! Nalej, Oluś, wina, za dużo atrakcji na dzisiaj. Zaraz położę Matyldę i napiję się z wami.

– Zobacz, ona wygląda, jakby miała ochotę na kotlet – zauważył Przemcio. – Ile można jeść papki z marchewki?

– W tych słoiczkach są same witaminy, Przemciu. Tyle, ile trzeba. Ekologiczne.

– Jak kupię dom, to posadzimy ekologiczną marchewkę. I sałatę. I botwinkę – oznajmił Przemcio.

– Chyba sam będziesz sadził – stwierdziła Joanka. – Nie wierzę, żeby Patrycja też tego chciała. Ja tam nie lubię grzebać w ziemi.

– Joanko, to tak relaksuje! Bardziej niż spa!

– Nie wierzę! – Joanna się roześmiała. – Oluś, ale wracając do tematu chrzcin... Zgadzasz się?

– Nie zmieniłaś zdania? Po tym, czego się dowiedziałaś?

– Nie. Ale musisz mi obiecać, że przez najbliższych osiemnaście lat noga mojej Matyldy tam nie postanie.

– Eeeee – wysapał Oluś. – Osiemnaście?

– Osiemnaście! – Joanna śmiała się razem z Matyldą, siedzącą na jej kolanach. – Mała, wcześniej nie pójdziesz do wujka do pracy! – zapowiedziała córce.

– Ej! – odparła Matylda.

Joanna nie czuła się dziwnie jako właścicielka sex shopu. Czuła się, można powiedzieć, normalnie. Pewnego dnia przechodziła ulicą Grunwaldzką we Wrzeszczu, gdy minęła remontowany sklep i nagle stanęła jak wryta. „Słodkie Ciasteczko" – przeczytała na szyldzie.

– O Boże, to tutaj – powiedziała na głos. Wprawnym okiem zlustrowała wejście pozbawione schodków. – W sam raz dla matek z dziećmi! – ucieszyła się, ale zaraz potem dotarło do niej, że matki z dziećmi rzadko bywają klientkami takich sklepów. Chociaż w sumie dlaczego? Przecież to właśnie one mogłyby coś tutaj zyskać. Biedne takie, tylko pieluchy, kaszki i cycki na wierzchu, a i to bynajmniej nie w celach erotycznych, lecz po to jedynie, by zapewnić przetrwanie gatunkowi.

– Prawda, Matyldo? – Dokładniej przykryła córkę, październik bowiem był wyjątkowo chłodny. – Chodź, wejdziemy się ogrzać. Może zrobią nam jakąś herbatkę?

Otworzyła drzwi i tyłem wprowadziła wózek do środka.

– Zamknięte! – zawołał jakiś facet w ogrodniczkach i z pędzlem w dłoni. – Poza tym to nie piekarnia... – Zarechotał rubasznie.

– Joanna Kownacka. – Wyciągnęła rękę do umorusanego farbą mężczyzny. – Jestem właścicielką.

– Mirek. – Wytarł dłoń o spodnie i podał ją Joannie. – To pani! Pani Matylda, świeć, Panie, nad jej duszą, tyle o pani opowiadała! A mówiła coś o mnie? O Mirku? – Głęboko spojrzał Joannie w oczy.

– Yyyyy... – Nie bardzo wiedziała, co odpowiedzieć. Prawdę mówiąc, nie przypominała sobie, by ciotka kiedykolwiek wspominała o Mirku.

– Mirek Zielonka. Ja jej Frędzla przyniosłem! – rzekł, jakby to miało wszystko Joance wyjaśnić i spowodować, że zacznie traktować Mirka jak starego znajomego.

– Aaaa, Frędzla. – Joanka się uśmiechnęła.

– No widzi pani, przypomniała sobie pani! – Wyraźnie się ucieszył. – To ja herbatki zrobię. A dla małej co? Mam nawet mleko. Przemcio kupił dla kotów. On się zupełnie nie zna na kotach. – Westchnął. – Bo wie pani, że koty nie mogą pić mleka? Brzuchy je potem bolą. Ja to się znam. Mam tu siostrzenicę Frędzla. Frędzel i matka mojej Lukrecji były siostrami rodzonymi. Z tego samego miotu. Lukrecję wziąłem ze sobą do Gdańska. Ja też jestem z Nowego Miasta, a po co miałaby tam zostać sama? Chłopcy mówili, że to straszna rudera i remont potrwa ze trzy miesiące. Lukrecja była trochę niezadowolona, ciągle mi uciekała... Ja wiedziałem, że z tego uciekania nie wyjdzie nic dobrego... No i chce pani zobaczyć, co wyszło? Takie małe niuńki... – Poszedł do schowka i otworzył drzwi. – Cii, Lukrecjo, wszystko w porządku. Dobrzy ludzie przyszli. Pani Joanno, zapraszam!

Joanna się zbliżyła. Patrzyła na nią piękna kocica otoczona wianuszkiem prześlicznych puszystych kuleczek.

– Piękne, co? – szepnął Mirek z dumą, jakby to on był ojcem. – Dwa dam córce na wieś, jednego syn chciał wziąć i jeszcze jeden mi zostanie. Muszę poszukać dobrych ludzi... – Zawahał się chwilę i spojrzał na Joankę z namysłem. – Pani Joanno, pani dam kota! – stwierdził wreszcie z radością. – Z dobrej rodziny. A może woli pani kotkę? Była przeznaczona dla Jurka, syna, ale przecież on kota od kotki nie odróżni, a zresztą dzisiaj chłopy same nie wiedzą, czego chcą.

– Oj tak! – potwierdziła Joanna.

– No to się cieszę, pani kochana! – uradował się Mirek. – Jeden problem z głowy!

– Ale ja o chłopach mówiłam! – zaniepokoiła się Joanna.

– Naprawdę nie mogę wziąć kota. Mam córkę, jestem sama i jeszcze kot na głowie? Lepiej nie...

– Na czyjej głowie? – zapytał Mirek.

– Na mojej, panie Mirku, na mojej. Koty są fajne, ale wiele z nimi kłopotu: miauczą, wspinają się na firanki i zrzucają bombki z choinki – recytowała dziewczyna. – Panie Mirku, wyobraża pan sobie święta bez choinki?

Mirek zaprzeczył ruchem głowy.

– No widzi pan. – Wzruszyła ramionami. – Na dodatek mąż wraca na święta i chrzciny mojej córki. Musimy mieć choinkę. Mała będzie miała osiem miesięcy, więc na pewno ją zauważy.

Mirek podrapał się ostrą końcówką pędzla po swojej jeszcze całkiem bujnej, ale zupełnie siwej czuprynie.

– A córka nie chciałaby kota? Jak ona ma na imię, bo, przepraszam, nie zapytałem.

– Matylda.

– Matylda! Pięknie! Jeżeli to jest Matylda, to na pewno chciałaby kota.

Joanka tylko jęknęła i spojrzała na niego wymownie.

– No dobra, dobra. Już robię herbatkę. Ale wie pani... Jakby pani chciała ko...

– Panie Mirku!

– No dobra, dobra, nic już nie powiem – zarzekł się Mirek, wlewając wrzątek do kubków.

Siedzieli i rozmawiali, popijając herbatę, a zadowolona Matylda rozglądała się wokół z kolan mamy.

– Ściany będą bordowe, a jakie dodatki? – zapytała. – Na ladzie? W przymierzalni?

– W przymierzalni? Jeszcze nie wiem, na ścianach chciałem wymalować akty. Oluś i Przemcio dali mi wolną rękę.

– Wolną rękę? Tak bez projektu? – zaniepokoiła się Joanna.

– A kto by tam projekt robił? Czy to ważne? W Nowym Mieście ściany były zielone, zresztą na początku wcale ich nie malowaliśmy, a każdy walił drzwiami i oknami. Tutaj jeszcze nie wiem, jak zrobimy. Może tak samo, a może i nie. Może coś się namaluje – objaśniał beztrosko Mirek.

– Ale tu jest inna klientela! – prawie krzyknęła Joanna. – Konkurencja, ludzie są bardziej wybredni. Musi być ekskluzywnie, z klasą! I przyjaźnie!

– Przyjaźnie będzie. Chłopaki są bardzo przyjaźni.

Joanka była bliska załamania.

– Kiedy planuje pan skończyć? Kiedy oni chcą ruszyć? Boże, mój biznes, a ja nic nie wiem! Muszę zadzwonić do chłopaków!

– Niech pani dzwoni. Ale mam prośbę. Tylko niech się pani nie denerwuje… Proszę ich zapytać, czy nie chcą kota.

Oluś i Przemcio, jak można się było spodziewać, kota nie chcieli. Ponadto w ogóle nie mieli sprecyzowanego planu zawładnięcia trójmiejskim rynkiem gadżetów erotycznych. Byli przekonani, że skoro w jednym miejscu im wyszło, w drugim wyjdzie również, a ich dochody zostaną podwojone czy wręcz potrojone.

– Joanko, będzie dobrze! – pocieszał ją Przemcio. – Ludzie będą przychodzić, a my będziemy się cieszyć, że u nas kupują.

– A jak chcecie ich nakłonić, żeby przyszli? – zapytała Joanna. – Chyba nie wyjdziecie na ulicę i nie będziecie zapraszać do środka?

– Dlaczego? Do tej pory tak właśnie robiliśmy.

– Boże, Przemciu... Kiedy na studiach macie zajęcia z marketingu?

– Nie wiem. Na razie tylko nam mówią, co musimy umieć na egzamin i jak ważne są te studia. I co trzeba zrobić, żeby dostać piątkę. Nie mówią jeszcze, czego będą uczyć.

– Dobra, to ja wam zrobię plan marketingowy – zadecydowała Joanna.

– Nam, Joanko, nam – przypomniał Przemcio. – Jasne, że zrób. Przecież studiowałaś to zarządzanie.

– No tak, tak... Spróbuję. Trochę wyszłam z obiegu, bo najpierw ta praca w urzędzie, potem Matylda... Ale sobie przypomnę!

Przypomniała sobie. Wszystko. Odgrzebała dwie książki na temat strategii marketingowej i stwierdziła, że sklep będzie jedyny w swoim rodzaju. Czuła nawet takie motyle w brzuchu jak przed pierwszą randką. Kochała swoją córkę, matczynych obowiązków miała mnóstwo, ale czasem fajnie też było poczytać coś innego niż kolejny artykuł o zbilansowanej diecie niemowlaka i jego prawidłowym rozwoju.

Teraz przybyło jej rytuałów: budziła się rano, karmiła Matyldę i przez chwilę obie przytulały się w łóżku. Następnie Joanna wstawała i jadła śniadanie. Spacer, sklep, zabawa na dywanie. Potem córka zasypiała, a matka robiła pranie i krzątała się po domu. Do wieczora zajmowała się Matyldą, a kiedy już ją ułożyła do snu, wkraczała w świat biznesu...

Tabelki, kosztorysy, ceny, zyski. Powoli wszystko stawało się jaśniejsze.

– Jaki mamy budżet na marketing? – zapytała chłopaków, gdy przyjechali na zjazd.

– Budżet? – Spojrzeli po sobie. – A jaki trzeba?

– No... Nie wiem – odparła zaskoczona. – Mogę coś zaproponować...

– Zaproponuj coś, Joanko. Dla nas to nowość, nie znamy się na tym. Pamiętaj też o naszym sklepie internetowym. Kasa ma się zwrócić. Jak włożymy, to ma się rozmnożyć. – Przemcio się zaśmiał.

Joanna zorganizowała marketing, a ponadto całą strategię firmy. Nie pozwoliła panu Mirkowi ozdobić ścian aktami, zamiast tego powiesiła stare fotografie, dość nieprzyzwoite jak na tamte czasy. Podzieliła sklep na dwie części: jedną dla kobiet, drugą dla mężczyzn. W kobiecej części urządziła królestwo bielizny.

– Takiego sklepu jeszcze nie było – mówiła. – Kobiety będą tu przychodzić, żeby się odprężyć. Zakup bielizny to bardzo intymna sprawa. Musi panować przyjemna atmosfera!

Bracia zgadzali się na wszystko. Wyglądali na zadowolonych, że ktoś zdjął z nich ciężar załatwiania spraw, na których kompletnie się nie znają. A Joanna była w swoim żywiole. Planowała, korespondowała, załatwiała...

– Grafika szukam, grafika... – mruczała podczas spaceru z Matyldą.

– Hej! – usłyszała za plecami czyjś głos.

Obejrzała się.

– Hej, hej, byłam zamyślona, nie zauważyłam cię. – Joanna uśmiechnęła się przepraszająco na widok młodej kobiety pchającej przed sobą wózek. Agnieszkę poznała niedawno, podczas spacerów z Matyldą, i odtąd widywały się prawie codziennie.

– Co słychać w świecie biznesu?

– Co słychać? – powtórzyła Joanka. – Potrzebuję grafika. Ulotki, szyld, reklamy sex shopu.

– Jeśli chcesz, to ci to zrobię – zaproponowała Agnieszka.

– Jak to? Przecież jesteś architektem.

– Studiowałam architekturę. – Aga się roześmiała. – Być a studiować to dwie różne sprawy. Mówiłam ci, że pracowałam u dewelopera, ale w dziale marketingu. Jako grafik. Wizualizacje i te sprawy.

– O matko, z nieba mi spadłaś! – krzyknęła z ulgą Joanna.

– Nie z nieba, tylko z lasu. – Agnieszka znów się zaśmiała.

– Dzieciaki śpią, usiądźmy na chwilę na ławce, zapiszę sobie, co byś chciała na tych ulotkach, i przygotuję propozycję. Fajnie, że to sex shop. Z chęcią porobię coś, co jest przeznaczone tylko i wyłącznie dla dorosłych, muszę mieć jakąś odskocznię w życiu!

Gdańsk, 10 sierpnia 2004 r.

Ciociu!

Naładowałam u Ciebie akumulatory. I kocham ten Twój stół, wiesz? Znowu sprawdzałam, tak jak wtedy, gdy byłam małą dziewczynką, czy masz pod nim czekoladki. Wyjadłam wszystkie! Teraz szlaban na słodycze aż do przyjazdu Piotra.

Wiesz, ciociu, jak on przyjedzie następnym razem, to Cię odwiedzimy. Musisz go poznać, może wtedy rozwieję Twoje wątpliwości, bo odniosłam wrażenie, że jesteś trochę zatroskana moim zauroczeniem!

Ciociu, to naprawdę dobry człowiek.

Joanka

PS Przed chwilą zadzwonili z urzędu! Mam tę pracę! Zaczynam 1 września!

PS2 Dostałam bilety na najnowszą premierę do Teatru Wybrzeże, szkoda, że nie możesz iść ze mną!

Marketing pełną gębą

Agnieszka przygotowała kilka propozycji. Joance spodobały się wszystkie.

– Trzeba będzie popytać – orzekła, pchając wózek ze śpiącą Matyldą.

U Agi w wózku leżał o trzy miesiące starszy Kacper. Kobiety poznały się w lesie, kiedy Matylda miała pięć tygodni. Agnieszka wydawała się wtedy Joannie bardzo doświadczoną matką. I tak od tamtego czasu spacerowały, rozmawiając o wszystkim i o niczym, aż zeszło na ulotki dla sex shopu.

– Komu to chcesz pokazać? – zapytała Aga.

– Potencjalnym klientom. Takie swoiste badanie rynku. Przychodzi facet w wieku potencjalnym i go pytam...

– O co?

– No, mówię, że jest taki fajny sklep, i pytam, która ulotka bardziej by go zachęciła.

– Jakoś to do mnie nie przemawia – stwierdziła Agnieszka.

– Uff. Wreszcie zasnął. Siadamy?

– Możemy usiąść. Nie lubię jesieni. – Joanna rozłożyła koc na ławce. – Nie wiem, jak Piotr wytrzymuje w tym zimnie. Ja bym wolała badać skały w tropikach.

– Odzywał się?

– Nie… – odpowiedziała ze smutkiem Joanka. – Ale on tam nie ma zasięgu. Internet też nie wchodzi w grę.

– Przecież nie są chyba odcięci od świata?

– No właśnie nie wiem…

– A co z tą panną z Facebooka?

– Nie umieszczała nic ostatnio, więc nie wiem. Mogłaby chociaż prowadzić blog z wyprawy. No, ale skoro nie ma internetu…

– No tak… A jak ty sobie radzisz finansowo?

– Coś tam wpływa na konto – przytaknęła Joanka. – Ze sklepu trochę jest, nawet więcej, niż myślałam, internetowy też się kręci, całkiem fajnie to wygląda. Będę też miała trochę pieniędzy z tych opowiadań. Za tydzień ukaże się pierwsze, a potem w następnym tygodniu, i w następnym.

– O! To ja autograf poproszę!

– Jasne! Dam ci gazetę z dedykacją – odparła Joanna z uśmiechem. – Ale wiesz… Kombinuję, co jeszcze można by robić. Chyba już nie chcę wracać do pracy etatowej, w szczególności do urzędu. Wolałabym się nikomu nie tłumaczyć, że muszę, na przykład, iść z małą do lekarza… Ale na razie nic mi nie przychodzi do głowy.

– A sklep?

– Nie chcę się wtrącać chłopakom. Mogę im pomóc, ale nic więcej. Zobacz, idzie jakiś facet. Nasza potencjalna grupa docelowa. Popilnuj Matyldy, a ja go zapytam, czy podoba mu się reklama.

Joanna wzięła w garść ulotki i podbiegła do mężczyzny, powiewając za sobą grubym szalikiem. Agnieszka została z dwoma wózkami, spoglądając raz na nie, raz na Joannę, która właśnie zaczęła rozmawiać z facetem należącym – jak się wyraziła – do ich potencjalnej grupy docelowej. Mężczyzna chyba jednak nie był zainteresowany. Przynajmniej tak jej się wydawało. Zaczął energicznie gestykulować, wyrwał Joance z dłoni ulotki, przedarł je i wyrzucił. Potem szybko odszedł, jeszcze z oddali wygrażając dziewczynie.

– Porażka. – Joanna wróciła, ściskając pogniecione i podarte ulotki. – Opieprzył mnie, wyzwał i obraził. Nawet nie chce mi się powtarzać tego, co mówił… – powiedziała ze smutkiem.

– Spokojnie, nie martw się – pocieszała ją Aga. – Może po prostu nie był zainteresowany? Przecież nie każdy musi.

– No nie każdy. – Joanka wzruszyła ramionami. – Nikt nie musi.

– Cycki muszą być – dobiegło zza ich pleców. Dostrzegły mężczyznę ubranego w obcisły strój do joggingu. Wpatrywał się w ulotki. – Bardzo przepraszam, biegałem po lesie i usłyszałem całą rozmowę. Zaniepokoiły mnie krzyki tego pana i zastanawiałem się, czy trzeba panią ratować. Ale poradziła pani sobie doskonale.

– Dziękuję bardzo. – Joanka poczerwieniała.

– Ależ bardzo proszę. Nie trzeba było interweniować, więc nie ma za co dziękować – odparł. – A co do ulotek, to mówię: cycki muszą być. Najlepiej duże.

Agnieszka była zdegustowana.

– Jak to muszą? – Jej mina wyrażała wielką dezaprobatę.
– A dlaczego nie noga? Taka jak w *Moulin Rouge*? Szpilki, kabaretki i te sprawy.

– No, w sumie… Noga też może być. – Mężczyzna przysiadł się do nich. – Szczególnie w szpilkach i pończochach. Tak czy siak, musicie dać trochę kobiecego ciała. Można je lekko zakryć jakimiś zwiewnymi fatałaszkami, ale musi być widać, że to kobieta. Dlatego najlepsze są cycki.

– Ale ja nie chcę, żeby to było wulgarne! – wykrzyknęła Joanka.

– Ej! – dobiegło z wózka. Najwyraźniej Matylda się obudziła.

– A kto tu mówi o wulgarności? – zapytał nieznajomy. – Przecież może być z klasą. Biegnę dalej. – Podniósł się z ławki. – Zimno się robi. Powodzenia!

– Cycki. Phi. Też mi coś. – Agnieszka wzruszyła ramionami. – Po cholerę komu cycki? Jasne, stare prawidło reklamy. Gdzie goła baba, tam klient. Ja chyba jednak powinnam się zająć tym, co mi nawet wychodzi: wychowywaniem dzieci.

– Ja również. – Joanka westchnęła. – Noga z *Moulin Rouge* też jakoś mi się nie widzi. Ale muszę coś wymyślić – kontynuowała, intensywnie bujając wózek. – Inaczej na ulotce Słodkiego Ciasteczka znajdzie się goła baba. Albo dzieło sztuki autorstwa Mireczka. – Westchnęła po raz kolejny. – Nie wiem, co byłoby gorsze.

– Ach, Mireczek... – zadumała się Agnieszka. – A słuchaj, gdyby tak kota dać na tej ulotce?

– I co, otworzymy sex shop Black Cat? Trzeba będzie wszystko zmieniać. – W tym momencie komórka Joanki zadźwięczała. Ememes. Na zdjęciu zatytułowanym *Bestseller miesiąca!* pojawiła się Patrycja w fartuszku słodkiej kuchareczki. I w białych pończoszkach.

Joanka natychmiast do niej zadzwoniła.

– A ty co?

– No, wysłałam ci bestseller miesiąca. Właśnie przyszły jeszcze bardziej frywolne pończochy i czepek i musiałam je przymierzyć. Joanko, dla ciebie chłopaki też przywiozą taki komplet. Będzie jak znalazł, kiedy Piotr wróci!

Joanna westchnęła. Pewnie kto inny machał teraz Piotrowi przed nosem fartuszkami i pończochami... Jedyna nadzieja w tym, że na Spitsbergenie zimno.

Pożegnała się z Patrycją, a Agnieszka spojrzała na nią z błyskiem w oczach. Miała już wizję ulotki gdańskiej „piekarni". Trzeba było tylko znaleźć kogoś, kto zrobi zdjęcie, i potem je odpowiednio obrobić.

– Mam fotografa! – zawołała nagle Aga. – Robi takie zdjęcia, że nawet ja jestem na nich piękna! – Uśmiechnęła się, wyciągnęła komórkę i zaczęła szukać numeru. – Połoczański. Piotr... Mam! Robił nam zdjęcia na ślubie i mówię ci, wyglądałam bosko. – Westchnęła rozmarzona. – Specjalizuje się w reportażach, ale jestem przekonana, że z niunią w fartuszku też sobie poradzi. Może nawet znajdzie nam modelkę?

– Dzwonimy! – zawołała Joanna.

Joanka zaczęła żyć sklepem. Starała się nie myśleć o asortymencie, ale prawdę mówiąc, i tak do niczego nie było jej to potrzebne. Skupiła się na bieliźnie oraz na wybieraniu modelki do roli słodkiej kuchareczki.

Na skutek współpracy dwóch młodych matek ich dzieci były nad wyraz dotlenione mimo zimnej październikowej aury, a one same miały świetną kondycję dzięki tym kilometrom, które codziennie przemierzały, obmyślając strategię marketingową dla biznesu. I wtedy, gdy ulotka była już prawie gotowa, zadzwonił mąż Joanny i skutecznie popsuł jej humor.

Przez telefon próbował ją wychowywać.

– Kto wymyślił chrzciny zimą?! – wykrzykiwał. – Zimno jak cholera, a ty chcesz dzieciaka na mróz wystawiać?

– Komu, jak komu, ale tobie mróz nie powinien przeszkadzać… – nieśmiało zaczęła Joanka.

– Mnie nie, ale dziecku?

– A co ty się tak nagle zacząłeś nią interesować? Kiedy rozmawialiśmy ostatnio, cieszyłeś się, że chodzi, to może teraz się ucieszysz, że zna już trzy języki i umie czytać? – prowokowała Joanna.

– Nie bądź złośliwa.

– A ty nie bądź nieprzyjemny – odparowała.

Nastała cisza, jak zwykle podczas ich ostatnich rozmów.

– Piotr, brakuje mi ciebie – powiedziała po chwili. – Ciągle jestem sama...

– Jak to: sama? Jesteś z dzieckiem.

– Wiesz, o czym mówię. Brakuje mi ciebie tutaj, na miejscu. Matyldzie też. Co to za tata przez telefon? I mąż – dodała ciszej.

– Nie przesadzaj. Taki mam zawód. Trzeba z czegoś żyć.

Matylda głośno westchnęła.

– A kto będzie chrzestnym? – zapytał.

– Oluś i Patrycja, żona Przemcia – odpowiedziała Joanna.

– Kto? – Piotr był zdumiony.

– Mówiłam ci o nich. Prowadzą sklep, ten, który w części odziedziczyłam po ciotce Ma...

– Zwariowałaś chyba! – przerwał jej mąż. – Obcy ludzie mają być chrzestnymi mojej córki? Ci degeneraci od sex shopu?

Joanka od razu pożałowała, że się wygadała. Zawrzał w niej gniew.

– Wiesz co? Ci „degeneraci od sex shopu", jak ich nazywasz, byli przy mnie, kiedy po porodzie nie mogłam się wyprostować. To oni przynosili mi wodę do szpitala, bo nikogo innego nie było na miejscu. Po tym, jak wyszłam ze szpitala, żona jednego z nich mieszkała u mnie ponad tydzień, żeby mnie na duchu podnieść! A ty palcem nie ruszyłeś! – krzyczała w słuchawkę. – Siedziałeś na jakiejś konferencji z tą swoją Szwedką! Chociaż wcale nie musiałeś! – Zaczerpnęła powietrza i dodała: – Oni przywieźli nas ze szpitala, oni byli na każde zawołanie. To do nich mogę zadzwonić o każdej porze dnia i nocy i mam pewność, że przyjadą najszybciej, jak zdołają, a ty ich od degeneratów wyzywasz? I jeszcze masz czelność mówić, że to obcy ludzie? Przesadziłeś, Piotr. Zrobili dla Matyldy więcej niż jej własny ojciec!

Piotr się nie odzywał.

– Halo? Jesteś tam? – zapytała.

– Jestem.

– I co?

– I nic. Wybrałaś takich chrzestnych, jakich chciałaś. Ja nie miałem nic do gadania.

– Nie było cię tu.

– No nie było... Okej, Joanno. Kończę. Pa. Odezwę się niebawem.

– Pa.

Tyle rzeczy chciała mu powiedzieć... To, że Matylda już się prawie nie mieści w gondoli i chyba będzie musiała ją przenieść do spacerówki; że zaczęła mówić „tata" i powtarza to jak najęta, a Joanka się martwi, że nie mówi „mama"; że wytarły jej się włoski z tyłu głowy i teraz nieco przypomina wujka, który zwykł się zaczesywać „na pożyczkę". Nie zdążyła też powiedzieć, że mała się turla, gdy leży na podłodze, że próbuje

się czołgać i przecudnie wygląda w rajstopkach w czerwono-
-białe paski, ani tego, że pan Mirek chciał jej dać kota. Nie
zdążyła powiedzieć niczego ważnego, czym ostatnio żyła i co
powodowało, że życie wydawało jej się fascynujące.

Ale czy Piotra to interesowało?

Czy było w stanie zaciekawić go cokolwiek poza badaniami
naukowymi?

Niektórzy ludzie chyba nie powinni zakładać rodzin. Nie
dlatego, że są źli, ale po prostu dlatego, że się do tego nie na-
dają. Jedni są dobrymi lekarzami, inni nauczycielami, a jeszcze inni oddają się nauce, nie bacząc na otaczający ich świat.

I to nie jest złe. Złe jest to, że wcześniej dali komuś nadzieję na dobry, normalny związek. Smutne, że dwie osoby,
które tak bardzo się kochały, nie ustaliły szczegółów wspólnej
przyszłości.

Ciociu!

Minął miesiąc, odkąd zaczęłam pracę w urzędzie. Czasem czuję się bardzo ważna, kiedy potrafię coś załatwić. Na szczęście mama Piotra przeniosła się do innego budynku i nawet na siebie nie wpadamy na korytarzu. Wiesz, niby jest miła i sympatyczna, ale... Nie zna Józefa.

Rozumiesz, o czym piszę, ciociu, prawda?

Ona jest taka sztywna. Są ludzie, do których lgniesz i chcesz się od razu do nich przytulić, a są tacy, którzy sprawiają, że nie potrafisz się normalnie poruszać. Pani Grażynka tak właśnie na mnie działa, ale podobno nie tylko na mnie!

Trudno, to chyba normalne z teściowymi obecnymi albo przyszłymi. Jestem wobec niej miła i grzeczna, ale kompletnie nie potrafię być sobą. W weekend pojechałyśmy razem do Jastarni. Pani Grażynka stwierdziła, że bez Piotra jest mi na pewno smutno i przyda mi się babski wyjazd. Bardzo się ucieszyłam, wiesz przecież, jak mi brakuje mamy... Ale ona mi jej nie zastąpi. Cały czas załatwiała coś przez komórkę... A mnie nawet było głupio podwinąć nogi na tapczanie, bo przecież jako jej potencjalna synowa powinnam chyba zachowywać się wzorcowo, prawda?

W ogóle nie wypoczęłam, a nawet muszę powiedzieć, że strasznie się przy niej zmęczyłam. Ona z kolei twierdzi, że wypoczęła jak nigdy i że musimy to powtórzyć.

Ciociu, ja wiem, że darowanemu koniowi nie zagląda się w zęby, ale naprawdę nie chcę już nigdy z nią wyjeżdżać na weekend.

Z Piotrem nie mam kontaktu, jest gdzieś na morzu. To potworne znajdować się na środku oceanu i nie widzieć w ogóle brzegu na horyzoncie. Ja bym się czuła bardzo niepewnie, no ale on to kocha.

Łapię się na tym, że sprawdzam w internecie, gdzie teraz jest, i wyobrażam sobie, co robi w danej chwili... Co wieczór zamykam oczy i kołyszę się razem z Piotrem na morskich falach. I czytam wciąż o jakichś marynarzach. Po raz kolejny przeczytałam też całą Fleszarową-Muskat. Słucham szant i przenoszę się do niego na statek, i śpię z nim na koi. Nawet nie wiem, czy ma koję, czy normalne łóżko. Muszę zapytać przy okazji.

Tęsknię za Tobą.

Joanka

Jedni odchodzą, zostawiając miejsce innym

Zimny i deszczowy październik minął. W pierwszy poranek listopada Joanna ubrała ciepło Matyldę, sama też pierwszy raz tego roku włożyła czapkę na głowę, i wybrała się na cmentarz. Najpierw poszła do rodziców, żeby zapalić świeczki, a potem do ciotki Matyldy.

Potrzebowała z kimś porozmawiać. Tak bardzo brakowało jej mądrych słów ciotki.

Patrzyła w zamyśleniu na małą Matyldę.

„Jedni odchodzą, zostawiając miejsce innym" – powiedziała kiedyś ciotka, ale Joance trudno było się z tym pogodzić. Ciotka przecież wcale nie musiała odchodzić. U boku Joanki znalazłoby się miejsce dla dwóch ważnych kobiet.

– Wiesz, ciociu... Ponad pół roku minęło od twojej śmierci. Prosiłam Ankę o tę komodę. Tę, którą mi obiecałaś. I o dywan. Chciałam mieć coś twojego. Udała, że nie wie, o co chodzi. Prosiłam, żeby dała mi w zamian coś innego, ale stwierdziła, że ja już za twojego życia wiele od ciebie dostałam. I tu miała rację. Dostałam od ciebie bardzo dużo. – Wyjęła Matyldę z wózka i posadziła ją sobie na kolanach. – Widzisz, Tysiu, ciotka Matylda to był wielki człowiek.

– Tatatatatata – skomentowała Tysia.

– Wuuuuujek – usłyszała Joanna gdzieś za swoją głową. – Tysiu, powiedz: wuuuujeeek!

– Tata – stwierdziła kategorycznie Tysia.

Za Joanką stała Patrycja z mężem, dziećmi i Olusiem.

– Jak miło was widzieć! Że też wam się chciało jechać taki kawał!

– Do szanownej pani starszej…

– Świeć, Panie, nad jej duszą…

– …zawsze nam po drodze.

– Dom kupujemy – szepnęła Patrycja. – A właściwie mieszkanie w małym szeregowcu, niedaleko szpitala na Zaspie. Jest też mały ogródek i takie pomieszczenie z osobnym wejściem – dodała głośniej i spojrzała na dwie dziewczynki w różowych płaszczykach kryjące się za nią – w którym będzie miejsce dla niegrzecznych dzieci.

Córeczki popatrzyły po sobie z przerażeniem.

– I zostanę gdańszczanką – oznajmiła Pati. – Nie wiem jeszcze, czy się cieszę. Przeniesiemy się pewnie po Nowym Roku.

– To super! Jasne, że się cieszysz! Tu jest naprawdę fajnie.

– No fajnie, fajnie. Ale wiesz, tam całe życie mieszkałam. Ze wszystkimi byłam po imieniu, każdy mnie znał od małego, a tutaj – wskazała cmentarz – nikt nikogo nie zna. Ludzie są dla siebie obcy. Tam wszystko wiedzieli o mnie do czwartego pokolenia wstecz. Tutaj nawet nikogo to nie interesuje. Nie wiem, czy to dobrze, czy źle. Na pewno inaczej. I człowiek będzie się musiał do tego przyzwyczaić. Przemcio mówi, że tu są większe możliwości dla dziewczynek.

– I ma rację, Patrycjo – potwierdziła Joanka. – Przecież świat się nie kończy, a w waszym starym domu zamieszka Oluś...

– Będziecie przyjeżdżać na wakacje! – zawołał Oluś i nagle się zmartwił. – Mnie też będzie was brakowało. Dobrze, że są te studia. Przynajmniej mam pewność, że będziemy się spotykali raz na dwa tygodnie. Joanko, ja się do tego mojego brata bardzo przyzwyczaiłem – zwrócił się wesoło do Joanny i klepnął Przemcia po plecach. – I nawet go lubię!

Joanka się roześmiała. Ona też lubiła spędzać czas z przyjaciółmi. Wszystkich, których kochała, miała w zasięgu wzroku. No, prawie wszystkich...

Żałowała tylko, że nie wypada wypić razem z ciotką filiżanki kawy i zapalić długiego mentolowego papierosa. Na Białorusi, Ukrainie i w Rosji rodziny przynoszą posiłki na groby zmarłych, aby zapewnić sobie przychylność duchów. Cyganie też tak robią. Joanka również miała na to ochotę, choć o przychylność ciotki Matyldy nie musiała przecież zabiegać.

– Oluś, masz zapalniczkę? – zapytał Przemcio.

– Jasne.

– Ale przecież wszystkie znicze się palą – zauważyła Joanka.

Przemcio wyjął z wewnętrznej kieszeni miętowe papierosy, podpalił jednego i tlącego się położył na grobie.

– Odsuń może trochę Matyldę – powiedział zmienionym głosem. – Żeby jej nie dymiło – patrzył w żarzący się papieros – a ciotka z przyjemnością sobie zapali. Przecież dawno tego nie robiła, prawda?

To było inne Święto Zmarłych niż zwykle. Był słoneczny dzień, a oni spacerowali po cmentarzu, szurając butami w leżących na ziemi liściach.

Zatrzymali się nad grobem z prostym żelaznym krzyżem.

– Benek zawsze szalał na motorze. Niczego ani nikogo innego nie kochał – oświadczył Oluś. – Sam był na tym świecie. On i jego harley. – Wyjął z kieszeni piersiówkę, wziął łyka, dał się napić bratu, a potem wylał parę kropli na grób. – Masz, Benek, twoje zdrowie. Tobie już nic nie zaszkodzi.

Patrycja, widząc zdziwioną minę Joanny, szepnęła:

– Zawsze tak robią. Dwa razy do roku. We Wszystkich Świętych i w jego urodziny. – Westchnęła. – W rocznicę jego śmierci piją sami. I wyzywają go wtedy od najgorszych, że taki durny był, że te pięć lat temu, jak pili, to go z nimi nie było, pojechał gdzieś na tym swoim harleyu. Następnym razem zobaczyli go już tutaj. Taki los. – Znowu westchnęła. – Jemu wódkę wlewają, a ciotce Matyldzie papierosa pozwalają zapalić. Ja już się przyzwyczaiłam do ich dziwactw. – Uśmiechnęła się. – Są tacy kochani.

Bracia popijali wódkę z piersiówki, co trzeci łyk wylewając kilka kropli Benkowi...

„Faktycznie. Są kochani" – pomyślała Joanna.

Matylda dawała o sobie znać. Po przyjściu z cmentarza była niespokojna i wyjątkowo marudna. Zupełnie jak nie ona. Jedni odchodzą, by zostawić miejsce innym... Oj, jej mała córka czasem potrzebowała bardzo dużo miejsca!

Gdańsk, 2 stycznia 2006 r.

Ciociu!

Powiedziałam „TAK"!

Oczywiście zdążę zadzwonić, zanim ten list do Ciebie dojdzie, ale teraz jest druga w nocy, Piotr właśnie wyszedł, bo niestety znowu jedzie w rejs i musi się pakować, a ja cała drżę z emocji.

Ślub planujemy w maju. Co prawda w nazwie tego miesiąca nie ma litery „r", ale ja w przesądy nie wierzę. Będziemy szczęśliwi!

Długo rozmawialiśmy o naszym przyszłym życiu.

Ciociu, kiedyś się bałaś, że nie doczekasz mojego ślubu, dzieci... Doczekasz, z pewnością! Już ja się o to postaram! Zaraz po ślubie spróbujemy. Bo przecież różnie z tym bywa. Sama o tym wiesz najlepiej.

Szkoda tylko, że już nie szyjesz. Suknia ślubna uszyta przez Ciebie byłaby z pewnością najpiękniejsza na świecie...

Kocham Cię, ciociu!

Zadzwonię i wszystko Ci opowiem!

Joanna

Koniec kariery naukowej Ivalo Jonsdottir

– Nie martw się tym dywanem, kochanie. Komodą też nie. – Ciotka się śmiała, jakby nieco złośliwie. – Tak miało być. Naprawdę tak miało być. Innymi rzeczami powinnaś się przejmować.

Joanna zerwała się z łóżka. Miała dziwny sen z ciotką w roli głównej i przez chwilę nie mogła się z niego otrząsnąć, chociaż Matylda już płakała i domagała się jedzenia, picia i przytulania, najlepiej wszystkiego naraz.

– Idę, niunia, idę – wymamrotała Joanka i ziewnęła. – Skąd te dzieci mają tyle energii?

– Tatatatata – przywitała ją Matylda.

– Mama! – poprawiła ją Joanna.

I wtedy zadzwonił telefon.

Piotr. Ze Sztokholmu.

– Przyjeżdżasz? – zapytała radośnie. – Strasznie się cieszę!

– Będę pojutrze. Powinniśmy porozmawiać – oznajmił oschle nawet jak na niego, bo Piotr do wylewnych nie należał.

– Stało się coś?

– Można to tak nazwać.

– Przyjedziemy po ciebie na lotnisko – poinformowała go. – O której będziesz?

– Nie trzeba, Joanno.

– Joanno? Coś ty taki oficjalny? Matylda wciąż tylko powtarza „tatatatata". Nie chce mówić „mama". Zobaczysz, jak urosła.

– Dobra, pogadamy w środę. Muszę kończyć. Pa.

– Pa, kochanie!

Zasępiła się. Piotr miał problem. A może jej się tylko wydawało? Najważniejsze, że przyjeżdża. Uśmiechnęła się do własnych myśli. Już ona się postara, żeby poprawić mu nastrój.

– Tak, moja mała! – zawołała do gaworzącej Matyldy.

Joanna nastawiła głośno radio i ku wielkiej radości córki zaczęła z nią wirować pomiędzy kuchnią a pokojem. Nie wiedziała, na jak długo Piotr przyjeżdża, lecz to nie było istotne. Istotne było, że już za dwa dni zjedzą wspólnie kolację, potem zaśnie przytulona do niego, rano zjedzą śniadanie, pójdą na spacer, a on znowu będzie ją zasypywał informacjami o różnych skałach. Nawet to lubiła. Co prawda, czasami się wyłączała, błądząc myślami gdzie indziej, ale cieszyła się, że spędzają razem czas.

Nieważne, że każde zajmowało się czymś innym, ważne, że mogli być razem.

Joanna ze zdziwieniem przyznała sama przed sobą, że przeszła jej złość na męża. Jak ta zimna blondynka mogłaby jej zaszkodzić? Mało to takich na świecie? Joanka, na przykład, siedziała w pracy naprzeciwko najprzystojniejszego faceta w całym wydziale skarbu. I co? I nic. Naprawdę nie powinna być zazdrosna o każdą kobietę, która znajdzie się w promieniu stu metrów od jej męża. Za to powinna o siebie zadbać...

– Muszę iść do fryzjera – szepnęła Matyldzie. – A ty pójdziesz ze mną. Będziesz grzeczna?

Matylda była grzeczna. Po powrocie do domu Joanna miała na głowie nowy kolor, a także paznokcie koloru wina – skorzystała bowiem z wyjątkowo długiego snu Matyldy w gabinecie kosmetycznym.

– Nieźle, mała, co? – Spojrzała na swoje odbicie w lustrze.

– Ta twoja matka jest jeszcze całkiem niezła. – Potrząsnęła nową blond fryzurką. – Tacie pewnie też się spodoba.

– Tata – skwitowało rezolutnie dziecko.

Joanna dostała skrzydeł. Piotr miał przyjechać około czternastej, więc postanowiła przygotować mu obiad. Dawno już nie czuła takiej przyjemności podczas przyrządzania posiłku. Bazylia, rozmaryn, mozarella, pomidory, a w garnku klasyczny bigos. W razie gdyby miał ochotę na coś polskiego.

W końcu usłyszała czyjeś kroki. Matylda podpełzła do drzwi. Piotr nachylił się ku niej, a wtedy wybuchnęła płaczem.

– Cii, malutka. – Joanna wzięła ją na ręce. – Cześć, kochanie – powiedziała i przytuliła się do męża. – Dobrze, że jesteś. Tęskniłam... Ugotowałam coś dobrego, chodź...

– Dobrze, tylko wezmę prysznic. Jest tam jakiś ręcznik? – Wskazał gestem łazienkę.

– No jasne – odparła z uśmiechem Joanna.

Gdy Piotr wyszedł spod prysznica, czekał na niego zastawiony stół. Matylda siedziała w foteliku i pogryzała chrupki, a Joanna przepasana fartuszkiem ze Słodkiego Ciasteczka nalewała kompot.

– Schudłeś chyba, co? – Spojrzała z troską na męża. – Nie wyglądasz za dobrze... – Pogłaskała go po policzku.

Piotr milczał.

– Jakieś problemy? – zapytała.

Przytaknął.

– Ivalo jest w ciąży – oznajmił, patrząc w talerz. – To dla niej koniec kariery – dodał, spokojnie krojąc kotlet schabowy.

– Przykro mi – zatroskała się Joanna. – To z kim teraz będziesz współpracował? Mówiłeś, że ona jest najlepsza. Dokończyliście te badania, nad którymi pracowaliście?

– Prawie... – mruknął Piotr.

– A to się porobiło... Cieszy się? – zapytała, nerwowo spoglądając na córkę, która rozrzucała chrupki po całym pokoju.

– Nie wiem. Na razie dochodzi do siebie po tej wiadomości. Joanko...

– Matylda, nie wywalaj tych chrupek na ziemię! – zdenerwowała się Joanna.

– Joanko, to też jest moje dziecko! – podniósł głos.

– No jest – przytaknęła. – Ale wiesz, bez przesady, skoro wywala chrupki na środek pokoju, chyba mogę jej zwrócić uwagę, prawda?

Piotr nic nie odpowiedział. Wpatrywał się w pusty talerz.

Joanna spojrzała na męża, który siedział ze spuszczoną głową, bębniąc nerwowo palcami w stół. I dotarło do niej, że nie mówił o Matyldzie.

Dotarło do niej, że mówił o dziecku wysokiej blondynki z Facebooka.

To też było jego dziecko...

Spojrzał jej głęboko w oczy.

Wiedziała już wszystko. Zrobiło jej się niedobrze.

– Wyjdź – rozkazała.

– Musimy porozmawiać – usłyszała w odpowiedzi.

– Może i musimy. Ale na razie wyjdź. – Do oczu napływały jej łzy. Nie chciała, by to zobaczył.

– Będę płacił. I odwiedzał – obiecał, wstając z krzesła. – I będę paczki przysyłał – dokończył już na progu.

– Wynoś się! – krzyknęła Joanka i zatrzasnęła za nim drzwi.

Gdy tylko Piotr wyszedł, usiadła na podłodze w przedpokoju i zamknęła oczy. Nie mogła nawet zapłakać. W sercu ją ściskało, ale nie potrafiła wyrzucić emocji na zewnątrz. Matylda podczołgała się do mamy. Joanna wzięła ją na ręce, przytuliła i tak siedziały we dwie, kiwając się w rytm swoich oddechów...

Czuła się jak robot. Nie wiedziała wprawdzie, jak się czuje robot, ale gdyby robot mógłby czuć cokolwiek, właśnie tak by się zachowywał.

Nie mogła sobie pozwolić na leżenie w łóżku i rozpaczanie nad swoim paskudnym losem. Miała dziecko, które potrzebowało ochrony przed złym światem i pomocy, by wyrosnąć na dobrego człowieka. A nie na takiego, który zachodzi w ciążę z cudzym mężem.

– Niunia, niech ci się nawet nie śni zostać naukowcem na Spitsbergenie, mówię ci – szeptała. – Nic dobrego z tego nie wynika. – Mechanicznie zmieniała córce pieluchę. – Zimno tam. O, tak jak dziś na zewnątrz. – Wskazała głową okno. – Beznadziejnie zimno. W taką pogodę to nawet Mikołaj do nas nie trafi. O kurde! – przypomniała sobie nagle. – Mikołaj! No nie, do ciebie Mikołaj na pewno trafi!

Joanna nie mogła sobie pozwolić na doły i smutki, ponieważ miała dziecko, do którego musiał przyjść pierwszy w życiu Mikołaj. Zawsze przychodził do grzecznych dzieci, a jej córka była wszak wzorem cnót... Do jego wizyty zostały dwa tygodnie.

– Joanko, sklep otwieramy na mikołajki! – zawołał Oluś od progu. – Ho! Ho! Ho! Czy są tu jakieś grzeczne dziewczynki? – zwrócił się do Matyldy. Matylda zarechotała wdzięcznie. W nagrodę otrzymała słoiczek ze startym jabłkiem.

– A mamusia grzeczna? – Uśmiechnął się do Joanki i dopiero teraz zobaczył, że najwyraźniej jest nie w sosie.

– No co? – zapytał lakonicznie. Usiadł przy kuchennym stole i spojrzał na dziewczynę.

– Piotr będzie miał dziecko – zakomunikowała wprost, nerwowo myjąc zlew. – Z tą Szwedką.

Oluś zaklął siarczyście.

– O, przepraszam – natychmiast się opamiętał. – Niunia, wujek bardzo przeprasza – powiedział do Matyldy. – Widzisz, Joanko, a mówiłem, że trzeba mu obić twarzyczkę? W porę obita twarzyczka przynosi zaskakujące rezultaty – stwierdził filozoficznie. – No, ale jeszcze nic straconego. Zawsze można nadrobić.

– Oluś, daj spokój...

– No co? Poprzednio nam nie pozwoliłaś i co z tego wynikło? – Uniósł brwi. – Nic dobrego. Teraz to nawet nie będziemy ciebie pytać – oznajmił.

– Oluś... – jęknęła Joanna.

– Co Oluś, co Oluś? – Spojrzał na nią wnikliwie. – Trzymasz się jakoś? – mruknął i wziął na kolana Matyldę.

— Trzymam się. A co mam robić? — Wzruszyła ramionami.
— Nawet nie płaczę. Może już nie umiem?

— Wiesz, to czasem przynosi ulgę. Szanowna pani starsza mówiła, że trzeba płakać. My rzadko płaczemy. Chyba że derby w nogę przegramy. Wtedy się łzę uroni. Ale to oczyszcza. Albo płaczesz, albo obijasz komuś twarzyczkę. Jedno i drugie jest dobre. Tylko że tego drugiego to już w zasadzie nie robimy. Mamy kodeks moralny, szanowna pani starsza nam go stworzyła i się stosujemy. Niestety. Czasem byłoby lepiej nie mieć kodeksu... — Zamyślił się.

— W ogóle kodeksy są do dupy — stwierdziła Joanna. — I wszelkie zasady. Człowiek czeka z kotletem na męża, a ten przychodzi, zjada kotlet i mówi, że odchodzi.

— A czego byś chciała? Żeby to zrobił przed kotletem? — zdziwił się Oluś. — Żaden mężczyzna tak nie postąpi.

— On nie jest mężczyzną — mściwie odparła Joanka.

— No, może... — przytaknął Oluś. — A na marginesie, został ci jeszcze jakiś kotlet?

— Został — przytaknęła z uśmiechem Joanna. — Zajmij się Matyldą, a ja pójdę odgrzać.

Dość długo nie wracała. Przez ten czas nie tylko zdążyłaby odgrzać kotlety, lecz także świniaka na nie ubić. Oluś poszedł do kuchni i zobaczył dziewczynę zalewającą się łzami. Trzymała w dłoniach telefon.

— Ach, ach... Ciotka Anka dzwoniła. Powiedziała, że w dywanie mole się zalęgły... A w komodzie korniki... I wszystko musiała wyrzucić. – Nagle Joanna zaczęła się histerycznie śmiać. – A ciotka mówiła, żebym się nie martwiła, że Anka to zabrała! Dzisiaj w nocy mi mówiła! – Śmiała się już na cały głos. – Wiesz, Oluś, i mówiła też, że jeszcze będę miała czym się przejmować. I mam! – Rozszlochała się na dobre.

Oluś nic z tego nie rozumiał. Ale jak każdy prawdziwy mężczyzna oprócz obijania twarzyczki potrafił też przytulać płaczące niewiasty.

Co skwapliwie uczynił.

Tej nocy Joanka po raz kolejny w swoim życiu doszła do wniosku, że doprawdy nie można się przywiązywać do nikogo, bo gdy ten ktoś odchodzi, to tak bardzo boli…

Gdańsk, 20 maja 2006 r.

Ciociu!

Dobrze być żoną... Teraz to mi przypomina zabawę w dom. Rano śniadanie, potem praca, Piotr, gdy nie jest na morzu, spędza sporo czasu na uniwersytecie, wreszcie obiad, kolacja. Później wspólnie oglądamy filmy przy winie. W zasadzie nigdzie nie wychodzimy, bo chcemy się sobą nacieszyć.

Wiem, że się boisz, że rezygnuję z siebie. Ale ciociu, teraz Piotr i ja to jedno. Jak zatem mogłabym rezygnować z siebie? To prawda, że coś trzeba wybrać, na wiele rzeczy nie wystarcza czasu... Jednak do teatru jeszcze zdążę pochodzić.

Piotr znowu się szykuje do wyjazdu. Jak tylko pojedzie, wezmę dwa dni urlopu i Cię odwiedzę. Niestety, znowu nam się nie uda razem do Ciebie przyjechać...

Rozmawiałam z ciocią Anką, wspominała, że chce Cię zabrać do siebie. Ciociu, ja nadal nalegam, byś zamieszkała u mnie! Mówiłam Ci o tym wielokrotnie. Jeszcze nie mówiłam o tym z Piotrem, ale on i tak rzadko bywa w domu. Na pewno nie miałby nic przeciwko.

Przecież... Wy z ciotką Anką nawet się nie lubicie. Zresztą nikt jej nie lubi...

Pomyśl, ciociu, o przeprowadzce do nas. Tym bardziej że postanowiliśmy sprzedać moje mieszkanie i kupić coś większego. Trochę sentymentalnie do tego podchodzę, bo tutaj się wychowałam... Ale jak Ty to zawsze mówisz, trzeba patrzeć do przodu i nie oglądać się za siebie. Zatem pamiętaj, pokój zawsze u nas masz!

Joanka

Biznes jest biznes. 100 wkładam, 200 wyjmuję

— Pani Joanno, wszystko, co pani napisze, tak chwyta za serce! — mówiła przez telefon redaktorka, zachwycona trzema kolejnymi opowiadaniami. — Pani tak plastycznie to ukazuje. Wprawdzie smutne są te historie, ale cóż, życie bywa smutne. Akceptujemy zatem wszystkie, ukażą się w kolejnych numerach. Tylko na Gwiazdkę postarajmy się dać coś bardziej optymistycznego.

Racja, opowiadania Joanki były smutne. A jakie miały być? Papier znosił wszystko, ona nieco mniej. Pisanie było dla niej swoistą terapią. Jej bohaterami byli źli faceci, którzy zostawiali swoje żony i rzucali się w objęcia innych bab — lafirynd i zdzir.

Żałowała tylko, że nie może nazwać lafiryndy Ivalo. No, ale miało być realnie. A to przecież takie nierealne, że mąż zostawia fajną żonę z jeszcze fajniejszą córką i robi dziecko ponętnej Szwedce.

Już słyszała redaktorkę: „Pani Joasiu, poproszę więcej realizmu. Czy jest pani pewna, że istnieje takie imię jak Ivalo?".

Oj, była pewna. Na dodatek Ivalo zamieściła na Facebooku zdjęcie swojego testu ciążowego.

– Paranoja jakaś – wymamrotała Joanna i westchnęła. Wstała przygotować rumianek. – Wiesz, Matyldo, a ja zaraz wrzucę na Facebooka twoją pieluchę. Też obsikana. Jak test. Mogłabym jeszcze dać zdjęcie Piotra i je podpisać: „Ojciec mojego dziecka". Mogłabym, prawda?

– Tatatata – odpowiedziała Matylda.

– Widzę, że się ze mną zgadzasz – stwierdziła Joanna. – No, ale co się będziemy martwić? Chodźmy zrobić casting na Mikołajkę do sex shopu. Przed świętami na ulotce kochareczka w czapce Mikołaja jak znalazł…

– Nie moja wina, że żadna mi się nie podoba – szepnęła zirytowanemu Przemciowi. – Ta za chuda, tamta za gruba. A ta, zobacz, ma za bladą skórę. – Przeglądała kolejno zdjęcia. – Ta ma za mały biust. Odpadają wszystkie blondynki.

– Dlaczego?! – Przemcio już był bliski wyrzucenia Joanny za drzwi i wybrania Mikołajki drogą losowania.

– Bo tak – odpowiedziała, wzruszając ramionami. – Bo mam awersję.

– Może ty masz awersję do wszystkich kobiet? – Przemcio spojrzał na nią wnikliwie. – Nie tylko do blondynek?

Joanna chwilę się zastanawiała. Położyła fotografie na stole i westchnęła.

– Wiesz co… W zasadzie to chyba tak. – Z zamkniętymi oczami wylosowała trzy zdjęcia. – Weź te. Będą doskonałe.

– Joanko, przecież nawet ich nie obejrzałaś! – wykrzyknął.

– No to co? Co za różnica, która z nich będzie wywijać cyckami przed oczami tych facetów? Oni twarzy i tak nie zauważą. A potem odejdą od żon, aby robić dzieci jakimś Szwedkom…

– Joanna powinna odpocząć – zadecydował Oluś, gdy wyszła.

– A może odwrotnie, może właśnie powinna się czymś zająć? – Patrycja rozpakowywała chyba tysięczny karton, wyjmując kolejną filiżankę zapakowaną w kolorową gazetę. Przeprowadzili się kilka dni temu, a wciąż mieszkali na pudłach, bo przygotowania do otwarcia sklepu zajęły im bardzo dużo czasu. Ustalili, że dziewczynki do końca półrocza zostaną u babci i dopiero potem zaczną się uczyć w Trójmieście. – Mogłaby mi na przykład pomóc w rozpakowywaniu gratów – powiedziała Pati z nadzieją w głosie.

– A co z Matyldą? – zauważył Oluś.

– Wujek Oluś? – podsunęła Patrycja.

Oluś wzruszył ramionami.

– Może być wujek Oluś.

– Kicha. Próbowałem ją wciągnąć w wybór Mikołajki – wtrącił się Przemcio.

– I co? – zapytali równocześnie Patrycja i Oluś.

– I co? – powtórzył Przemcio. – I żadna jej się nie podobała, bo wszystkie wyglądają jak lafiryndy. A jeżeli jeszcze nimi nie są, to niebawem zostaną.

– O kurczę. – Patrycja przysiadła na taborecie w kuchni. – Chłopa jej trzeba.

Bracia spojrzeli na nią jak na osobę co najmniej niespełna rozumu.

– Chłopa? Przecież miała chłopa, rzucił ją. Chłopów ona teraz nie lubi.

– Lubi, lubi. Kobiet nie lubi. Adoratora jej trzeba. Wiecie, takiego wielbiącego.

Bracia nie wiedzieli. Dla nich kobieca dusza była nieodkrytą planetą, tudzież wyspą. Λ – w przeciwieństwie do niektórych mężczyzn – wcale nie mieli zamiaru zajmować się badaniami naukowymi. W każdym razie to, co powiedziała Patrycja, przyjęli na wiarę, mimo że nieco nieufnie.

– Co ty robisz? – zapytała Patrycja, gdy wybrały się w końcu na wspólne babskie zakupy, zostawiając na posterunku Olusia.

Joanna bujała wózek. Nawet dość rytmicznie. I nie byłoby w tym nic dziwnego, gdyby nie to, że był to wózek ze sklepu spożywczego, załadowany zakupami.

– Jak to co? – odpowiedziała zamyślona Joanna i nagle się ocknęła. – O kurczę!

– Moja droga, chyba musisz się wyluzować. Chodź na kawę. Pogadamy – zaproponowała Patrycja.

Zaszły do pobliskiej kawiarni Sowa, zamówiły dwa duże latte i po wielkim kawałku ciastka, i gdy już zaspokoiły głód kofeiny i cukru, zaczęły poważnie rozmawiać.

– Joanko – powiedziała Patrycja, po raz dziesiąty mieszając kawę. – Czy ty potrzebujesz odpoczynku, czy pracy? Bo czegoś ewidentnie potrzebujesz. I my możemy spróbować ci w tym pomóc.

– Pracy! – zawołała Joanka. – Mam dość siedzenia samej w domu. Matylda idzie spać o siódmej, a ja siedzę w towarzystwie telewizora. Wiesz, obmyślam biznes. Prywatne przedszkole.

– Przedszkole? Przecież się na tym nie znasz.

– No nie. Ale mogę się nauczyć. Zresztą nie ja będę się opiekować dziećmi, tylko przedszkolanki.

– A czy to się opłaca?

– Muszę sprawdzić.

– Sprawdź. I wiesz co? Matki są strasznie upierdliwe. Wiem to po sobie. To najgorszy chodzący po świecie gatunek klienta. Upierdliwy i bezgranicznie zakochany w swoim dziecku.

Z roszczeniowym stosunkiem do świata. Lata do dyrektorki z awanturą o byle co. A uwierz mi, w przedszkolu takich powodów są tysiące. — Wypiła łyk kawy. — Sama rozumiesz, przy pierwszym dziecku to się łazi i pyskuje. Przy drugim nieco odpuszczasz. Przy trzecim to już chyba w ogóle ci zwisa. — Roześmiała się. — Mam nadzieję, że kiedyś uda mi się o tym przekonać. A ty sprawdź, czy to się opłaca. I pamiętaj o matkach-wariatkach. Są naprawdę beznadziejne.

Od kilku dni, pamiętając o matkach-wariatkach, Joanna sprawdzała opłacalność swojego pomysłu. Wywlokła z szafki książki z czasów studenckich na temat planowania inwestycji i biznesplanów i zaczęła liczyć.

— Nijak się to nie kalkuluje — stwierdziła po kolejnym podejściu do tematu. — Czesne musiałoby być z kosmosu, a przedszkolanki zarabiałyby grosze. Nie rozumiem, jak to funkcjonuje. Muszę wymyślić coś innego.

— Aga, nie da rady — powiedziała do słuchawki. — To chyba zły pomysł. I jeszcze te matki-wariatki.

— Matki-wariatki mnie przekonują. Ale myśl dalej, Joanko, bo naprawdę nie chce mi się wracać na etat! — poskarżyła się Agnieszka. — Jakoś sobie tego nie wyobrażam...

— Ja też nie... — przytaknęła Joanka. — A przecież z czegoś żyć trzeba. Ty chociaż masz męża, ja jestem z tym wszystkim sama. I codziennie rano muszę się przekonywać, że dam sobie radę. Pozostanie mi chyba kariera sprzedawczyni w „piekarni" chłopaków.

– I twojej.

– I mojej. W dwudziestu procentach. Wiesz? Najgorsze jest to, że ja chyba nic nie umiem.

– To witaj w klubie... Nie mam pojęcia, jak ci wszyscy biznesmeni wpadają na pomysły intratnych biznesów. To chyba musi być jakiś ślepy traf.

Ślepy traf nazywał się Marian Puchalski i był właścicielem salonu fryzjerskiego „Puchalski" w samym centrum Gdańska-Wrzeszcza. Pan Marian pokłócił się właśnie z agencją marketingową, z którą do tej pory współpracował, pokłócił się z żoną, a ze swoją matką o to, że pokłócił się z żoną. Do agencji miał pretensje, że nie przygotowała mu na czas tego, czego żądał, żona miała pretensje do niego, ponieważ znalazła w kieszeni kurtki ulotkę z ponętną kuchareczką, a jak było z matką – to już wiadomo.

Marian Puchalski stwierdził, że natychmiast musi się udać do miejsca, które tak wnerwiło jego żonę, i kupić coś tylko po to, żeby ją wnerwić jeszcze bardziej. Poza tym ulotka z kuchareczką była całkiem niezła, a tekst tak przekonujący, że nie sposób było się oprzeć.

– Coś żeby wnerwić żonę – poprosił pan Marian, przekroczywszy próg Słodkiego Ciasteczka.

Patrycja, która stała za ladą, spojrzała ze zdziwieniem na Mariana.

– Wnerwianie żon klientów nie leży w naszym interesie – oświadczyła. – Może lepiej dam panu coś, co by ją udobruchało?

Mężczyzna się zasępił.

– Człowiek dostaje od kogoś na ulicy wasze ulotki, a ta je znajduje i wyzywa go od najgorszych. Kuchareczka jej się nie spodobała. Mnie tam się podobała.

– Panie... – Patrycja spojrzała na niego pytająco.

– Marianie. Marian Puchalski. Miło mi – przedstawił się i pocałował Patrycję w rękę.

– Panie Marianie. Do żony trzeba z sercem. Żona też człowiek, proszę pana.

– Ech – westchnął Marian.

– Kawki zrobię i pogadamy, dobrze? – zaproponowała. – Białej czy czarnej?

– Czarnej. Bez cukru.

– Proszę bardzo. – Patrycja postawiła przy nim dymiącą filiżankę. Na spodeczku położyła ciasteczko. Po raz kolejny pogratulowała sobie uporu, z jakim przekonywała chłopaków do wstawienia do sklepu stolika i dwóch foteli. A ile było przy tym gadania! Dopiero gdy do dyskusji wtrąciła się Joanna ze swoim dwudziestoprocentowym głosem, Oluś i Przemcio skapitulowali. Na stoliku leżały aktualne numery czasopism dla panów, a na dodatek można było napić się kawy z ekspresu.

Patrycja dosiadła się do zdenerwowanego klienta.

– Kobiety kochają być zdobywane – zagaiła.

– Ale gdzie tam – westchnął w odpowiedzi. – Moją Krysię zdobyłem trzydzieści pięć lat temu. Po cholerę miałbym to robić jeszcze raz? Już zdobyta. Do grobowej deski. Pokłóci się, pokłóci, pomarudzi, ale w końcu jej przejdzie. O! Kot!

– Kot. Sklepowy. Wybrał nas i został. A raczej pan Mirek zadecydował, że tu zostanie.

– Lubię koty. Krysia nie lubi. A przecież koty wyciągają negatywną energię.

Don Juan wskoczył Marianowi na kolana i zaczął się domagać głaskania.

– A nie tęskni pan za motylami w brzuchu? – zapytała Patrycja.

– Motylami? Droga pani! Ja mam sześćdziesiąt lat! Motyle to może mieć mój syn. Albo nawet już nie.

– A dlaczego? – Pati nie dawała za wygraną.

– Dlaczego? Stary już jestem. Krysia też jest już stara. Nie te lata.

– Nie tęskni pan za tamtymi czasami? Kiedy nie kłóciliście się z Krysią i tylko pan czekał, żeby ją wziąć w objęcia?

– Nawet ich nie pamiętam… Chociaż… Tak! – Puchalskiemu twarz się rozjaśniła. – Miała taki zielony fartuszek w krateczkę. I piekła mi rogaliki!

– To jesteśmy w domu. – Patrycja się uśmiechnęła. – Proszę poczekać. Mam coś dla pana. – Poszła na zaplecze i po chwili przyniosła zestaw ponętnej kuchareczki. – Nie jest wprawdzie zielony, ale to chyba nie przeszkadza. Proszę się przyjrzeć, może warto kupić pani Krysi? – Rozłożyła wszystkie części zestawu.

– Myśli pani, że by ją to ucieszyło? – zapytał pan Marian.

– Fartuszek może nie, ale pończochy i stringi... Dorzucić jeszcze karnecik na stanik? Bo to zawsze lepiej samej. Żona przyjdzie do nas, a my pomożemy dobrać odpowiedni model.

– To niech pani dorzuci.

– Zapakować?

– Eeee, nie, to żadna okazja.

– Może jednak? Zawsze miło dostać zapakowany prezent i potem go rozwijać jak niespodziankę.

– Tak pani myśli? – Patrycja w odpowiedzi pokiwała głową. – No dobrze. Chyba zwariowałem na stare lata... Pończochy żonie kupuję...

– Panie Marianie, nie chodzi o to, co to jest, tylko że to jest prezent. Chodzi o gest.

– O gest – powtórzył Marian Puchalski. – Dobra. To płacę. – Wyciągnął portfel. – I za kawę oczywiście też.

– Kawa gratis. Prezent od firmy – odparła Pati z uśmiechem. – Ale pod warunkiem że pan do nas wróci i powie, czy fartuszek się podobał.

– Przyjdę, przyjdę – obiecał.

Drzwi się za nim zamknęły, Patrycja zdążyła posprzątać filiżanki, gdy Marian ponownie wszedł do sklepu.

– I jeszcze jedno. Da mi pani namiary na agencję od ulotek.

Patrycja spojrzała na niego pytająco.

– No od tych z kuchareczką, kto je robił?

– No... nasza Joanka – odparła ze zdziwieniem Patrycja.

– No dobrze. A da mi pani telefon do tej Naszej Joanki? Potrzebuję nowych ulotek, nowej strony. W ogóle potrzebuję wszystkiego nowego. Ma pani?

– Jasne. – Patrycja znalazła numer w swojej komórce. – Proszę zapisać.

Marian zapisał, po czym podszedł do Pati i ujął w dłoń kosmyk jej włosów.

– Proszę do mnie przyjść, podetniemy końcówki. W ogóle zmieniłbym coś u pani na głowie. Poszalałbym. Z kolorem może. Z cięciem również. Proszę przyjść. Też będzie gratis od firmy. Pani jest zbyt fajną kobietą, żeby być szarą myszką! – zawołał na odchodnym i wyszedł, trzaskając drzwiami.

Szara myszka zerknęła w lustro, wzięła w dwa palce kosmyk włosów i dokładnie go obejrzała.

– Szara myszka... Phi! – prychnęła. Sięgnęła po telefon. – Przemciu, kochasz mnie? – zapytała.

– A skąd to pytanie? Jasne, że tak! – odpowiedział bez wahania.

– A podobam ci się jeszcze?

– Myszko, jasne!

– A jednak! – zawołała Patrycja.

– Co: jednak?

– Jestem dla ciebie szarą myszką?

– Szarą? – zdziwił się Przemcio. – Kochanie, jesteś najbardziej kolorową myszką, jaką w życiu spotkałem! I nie zamieniłbym cię na żadną inną!

To było to, co chciała usłyszeć. Uśmiechnęła się.

Miała wszystko. Kochającego męża, wspaniałe dzieci, teraz jeszcze dom w Trójmieście i pracę, którą uwielbiała. Nie od początku tak było. Patrycja często wspominała rozmowę z ciotką Matyldą na temat sex shopu. Mówiła, że to biznes jak każdy inny. Czy miała rację?

Do tego biznesu należało podchodzić z sercem. Wiele ludzi do nich zaglądało. Głównie mężczyźni, którzy szukali rozrywki, ale byli też tacy, którzy gubili się w dorosłym świecie – oni przychodzili, żeby się wygadać. To dlatego Patrycja nalegała na kącik kawowy. Wiedziała, że to przyciągnie klientów. I miała rację.

Była przyjaciółką, powierniczką, bratnią duszą. A także telefonem zaufania.

I dlatego „piekarnia" odniosła tak olbrzymi sukces w miasteczku. I dlatego miała go wkrótce odnieść nad morzem.

– Dzień dobry. Czy to agencja reklamowa Nasza Joanka? – usłyszała Joanna w telefonie.

– Tu Joanna Kownacka. – Joanka była nieco zbita z tropu.

– Czyli Nasza Joanka – kontynuował rozmówca. – Mówi Marian Puchalski. Dostałem ten numer od pani Patrycji z Ciasteczka. Piękne ulotki pani zrobiła.

– Dziękuję.

– To kawał dobrej roboty. Też chciałbym takie.

Joanna się roześmiała.

– Ale ja nie prowadzę agencji reklamowej! – odparła szczerze.

– Nie? – zdziwił się pan Marian. – A powinna pani, powinna – stwierdził. – To co, zrobimy umowę o dzieło? Kiedy możemy się spotkać?

I właśnie ten ślepy traf w postaci zlecenia od pana Mariana otworzył Joance oczy. Że też wcześniej na to nie wpadła! Agencja reklamowa... Mogłaby robić to, co lubi najbardziej, i to w dodatku z Agnieszką!

Dobre pomysły spadają z nieba. A może to ciotka Matylda zrzuca je tak, żeby trafiały właśnie do niej?

Pan Marian chciał wszystko od nowa: stronę internetową, logo, ulotki i szyld. I nie wiadomo dlaczego był przekonany, że Joanka mu to załatwi. Umówili się w kawiarni BabyCafé, w lokalu specjalnie przeznaczonym dla rodziców z dziećmi. Marian doskonale znał to miejsce — przyprowadzał tu wnuki, gdy przypadała jego kolej na opiekę nad nimi, a chciał w spokoju poczytać gazetę nad kubkiem dobrej kawy. Przychodził tu również z żoną, kiedy nie chciało się jej gotować obiadu.

Matylda została wsadzona w kojec z trzema misiami i dwiema grzechotkami, co ją uszczęśliwiło, dzięki czemu jej mama mogła się napawać smakiem kawy latte z syropem waniliowym.

— Nie wiedziałam, że tu jest takie miejsce — oznajmiła.

— Ha! Marian wie wszystko. — Pan Marian z dumą wyprężył pierś i spojrzał na Joannę. — Dołożyłbym jeszcze trochę jaśniejszych refleksów.

— Refleksów?

— Na włosach. Pasemek — sprecyzował. — Rozjaśniłoby to pani twarz. Dodałoby pozytywnej energii.

— Energia by mi się przydała, i to bardzo. W szczególności pozytywna.

— To widać, droga pani, to widać... — potwierdził Puchalski.

Joanna przez chwilę rozważała, czy powinna się obrazić, stwierdziła jednak, że pan Marian ma rację.

— Ale przejdźmy do rzeczy. Jestem umówiony z Krysią, a ona nie lubi, gdy się spóźniam. Na kiedy może pani przygotować propozycję? Chodzi mi o pomysł, który chwytałby za serce. No i nie ukrywam, że za kieszeń. Bo biznes jest biznes, proszę pani. Wkładam sto, wyjmuję dwieście. Takie są prawa rynku.

– Takie są prawa rynku – powtórzyła Joanka.

– To od kiedy zaczynamy? – zapytał Marian.

– Od zaraz.

– O matko, że też wcześniej na to nie wpadłyśmy! – zawołała Aga. – To co mamy robić?

– Strategię, logotyp, stronę. Wszystkie teksty. Wiesz, on chce prowadzić kobiecy salon. Z kącikiem dziecięcym. Powiedział, że Krysia będzie się nim zajmowała.

– Krysia? – Agnieszka spojrzała na Joannę pytająco.

– Żona.

– Biznes jest biznes – powiedziała kiedyś ciotka Matylda Patrycji, gdy ta przyszła się poskarżyć.

– Pani Matyldo, ja już nie mogę patrzeć na te wszystkie gadżety. Zamykam oczy i widzę gołe baby. To tak jak z grzybami. Jesteś cały dzień w lesie na grzybach, wracasz, zamykasz oczy i widzisz grzyby. Zwariować można.

– A gdybyś na to nie patrzyła? – zapytała Matylda.

– Na początku próbowałam – przyznała Patrycja. – Ale chłopaki mnie wyśmiali.

– Jak to?

– Bo wie pani, są ceny i metkownica. I ja zawsze przyklejałam te ceny w newralgicznych miejscach. To na gołym biuście, to jeszcze gdzie indziej... Oluś stwierdził, że to cenzura. Do tej pory nazywają mnie naczelnym cenzorem „piekarni". Nie da rady nie patrzeć.

– No tak. Ale skoro chcesz pomagać, to musisz sobie znaleźć jakieś zajęcie.

– Ja już nawet nie chcę pomagać. Ale kto mnie przyjmie do pracy po sex shopie? Ja bym chciała iść na studia, na psychologię. A oni się ze mnie nabijają, że będę ekspertem od psychologii seksu.

– Pati, najważniejsze to się nie przejmować. Herbatki?

– Oj tak. Ale takiej jak pani, z prądem.

– To może koniaczku?

– Nie, nie, herbatki...

– Wiesz, Pati, nieważne, co robisz w życiu. Oczywiście jeżeli nie wykracza to poza twój kodeks moralny.

– Ale to wykracza!

– Zależy, jaki kto ma kodeks. Nie robisz nikomu krzywdy. Dajesz ludziom radość i szczęście. I tyle.

– No niby tak...

– Co najbardziej lubisz w swojej pracy?

– Nic. – Patrycja wzruszyła ramionami.

– Pomyśl.

Pati zamilkła na chwilę. Zanim odpowiedziała, wypiła prawie duszkiem pół kubka herbaty.

– Lubię rozmawiać z ludźmi. Lubię, gdy przychodzi ktoś, kto jest nieśmiały, i nie chce powiedzieć, o co mu chodzi. A potem się okazuje, że pragnie naprawić swoje małżeństwo i marzy, żeby było im lepiej. Wtedy rozmawiam, doradzam. Kiedyś za drugim razem facet przyprowadził żonę. Z nią też pogadałam. Widziałam ich niedawno. Szli roześmiani ulicą, trzymając się za ręce. Tak, to lubię. Lubię rozmawiać. Lubię widzieć tę iskrę w oczach kobiet, kiedy wychodzą z przymierzalni – rozmarzyła się.

– To rozmawiaj z ludźmi. Zaparz im kawę, zaproponuj słodkie ciasteczko i wysłuchaj. Myślę, że to twoja rola w tym sklepie. Jeśli ktoś chce być obsłużony szybko, to niech idzie do chłopaków. Jeżeli chce pogadać, to przyjdzie do ciebie. Nie rezygnuj z psychologii. Jak nie teraz, to później.

– Ma pani rację…

– Ale pamiętaj, biznes jest biznes. Chodzi oczywiście o to, by zarobić pieniądze, lecz nie za wszelką cenę. W biznesie najważniejsze jest to, żeby klient był zadowolony. Chce czegoś, to daj mu zawsze trochę więcej, a wróci do ciebie. I na dodatek przyprowadzi trzech znajomych.

Patrycja dobrze to zapamiętała. Zawsze skutkowało.

Te same rady dostała w swoim czasie Joanka. Teraz miały bardzo jej się przydać.

Gdańsk, 30 lipca 2006 r.

Ciociu!

Piotr znowu pojechał... Czasem czuję się jak na huśtawce. Kiedy przyjeżdża, ogarnia mnie euforia, jestem wysoko w górze, a gdy wyjeżdża — spadam.

Jednak nie jest dobrze mieć męża marynarza.

Chodzę sobie po Długiej i spoglądam na te wszystkie roześmiane twarze kobiet przytulonych do swoich facetów. Z zazdrością patrzę na duże brzuchy ciążowe wystające spod niedopinających się sweterków. Bo jak ja mam zajść w ciążę, skoro Piotra wciąż nie ma?

Od kilku dni źle się czuję, może to grypa, ciągle bym spała i spała. Zaledwie przychodzę z pracy, a już muszę się położyć. Uznałabym, że to „jesienna depresja", gdyby nie to, że mamy środek lata.

No cóż, trzeba wziąć się w garść i iść do przodu, mimo że ciężko.

Niby jestem żoną, a cały czas sama... Smutne, co?

Idę sobie trochę popłakać, ciociu.

Joanka

Przedsiębiorcza kobieta stawia czoła Unii i Marianowi

Gdy Joanna położyła spać swoje złotowłose dziecko o twarzy cherubinka, usiadła przy komputerze, żeby zaplanować karierę zawodową. *Unia wspiera przedsiębiorcze kobiety powracające na rynek pracy po urlopie macierzyńskim. Odpowiedzią na ich oczekiwania są projekty kierowane wprost do tej grupy. Aby wesprzeć kobiety w aktywności zawodowej oraz szybszej adaptacji w nowej sytuacji, tworzone są szkolenia czy inne formy aktywizacji zawodowej, które mają na celu między innymi pomoc w samozatrudnieniu.*

– Bingo! – powiedziała sama do siebie. – Dostanę kasę! Będę kobietą przedsiębiorczą! – Uśmiechnęła się do swoich myśli.

Pewna, że Unia ją wesprze, postanowiła zadzwonić nazajutrz do urzędu i zapytać o szczegóły. Już sobie wyobrażała, jak dostaje dużo pieniędzy na swój biznes, zapewniając tym samym rozwój polskiej gospodarce.

Polska gospodarka nie chciała jednak być wspierana przez obywatelkę Joannę Kownacką. Ale o tym przyszła bisneswoman miała się dopiero przekonać.

– Wiesz, Joanko – Oluś był wyraźnie zmartwiony jej nadmiernym optymizmem – to nie tak łatwo dostać kasę z Unii. Papiery, papiery, papiery... Tony papierów. Wszyscy mówią o ekologii, jest taki punkt, że musimy oszczędzać zasoby, a tu taka straszna biurokracja, na wszystko potrzeba papieru. Musi być wydruk, sto stron, każda podpisana, dwie kopie. Raz składaliśmy wniosek. Przemcio podpisał czarnym długopisem. I pieczątka czarna była. Kazali nam jeszcze raz drukować i podpisywać na niebiesko. Joanko, ja naprawdę nie wiem, czy ty dostaniesz tę kasę... I tu nawet obijanie twarzyczki nikomu nie pomoże. Zresztą komu mielibyśmy ją obić? Ech... Każdy chce zarobić... Ale nie w twarzyczkę.

Joanna nie dała się jednak zbić z tropu.

Miła pani w urzędzie powiedziała, że trzeba przyjść w styczniu, złożyć wniosek, potem będą szkolenia, a potem wybiorą najlepszych, żeby im pomóc rozwijać przedsiębiorczość. W sumie Joanna nie wiedziała, co powinna rozwijać, bo uważała, że wiedzę ma, pieniądze zaś były jej potrzebne tylko po to, by ruszyć ze zdwojoną siłą i nie martwić się o lepsze jutro dla Matyldy.

A Joanna nie lubiła się martwić o lepsze jutro. O żadne jutro nie lubiła się martwić. Chciała wiedzieć, że będzie dobrze, i czuła, że to wie.

Pomiędzy robieniem ulotek dla pana Mariana, myśleniem o biznesie i o strategii przyszłej firmy, której mimo próśb pana Mariana nie chciała nazwać Nasza Joanka, Joanna planowała święta. A te zbliżały się z prędkością światła. Doprawdy nie wyobrażała sobie, jak to wszystko będzie. Pierwsze święta bez ciotki, ale za to z małą Matyldą. I pierwsze bez męża.

– Wiesz? – mówiła do córki. – Fajnie je spędzimy. Pójdziemy na długi spacer, a potem zjemy kolację. Może rybę ci dam?

– Tatata.

– Dam. – Uśmiechnęła się. – I ubierzemy się ładnie. Mama włoży szpilki. A ty lakierki. Kupię ci lakierki. I zjesz opłatek. Zrobimy wszystko, żeby te święta nie były smutne, prawda, Tysiu? – Przytuliła mocno córkę i w tym momencie poczuła się prawie szczęśliwa.

Zatroskana ciotka Matylda spoglądała z nieba i głaskała Frędzla, która mruczała głośno.

– Widzisz, Frędzel? Niektórzy pieszczą i przytulają koty, a inni dzieci. Ale wiesz co? Dzieci są dla tych, którzy nie mogą mieć kotów. Co tu robić, co tu robić, Frędzel? My tu w raju siedzimy, teraz sobie kolegę przygruchałaś i jesteś szczęśliwa, a Joanka wciąż samotna. Człowiek – Frędzel spojrzała na nią wymownie – i kot musi mieć kogoś do kochania. – Westchnęła. – To tylko na filmach tak bywa, że można królewicza zesłać na ziemię. No ale na co jej taki niebiański królewicz? Joanka powinna mieć faceta twardo stąpającego po ziemi. Takiego, który byłby jej opoką. Jak by tu losowi pomóc? O Matyldę się nie martwię. Matyldy zawsze sobie dają radę. Moje imię, moja krew. Ale żeby to chuchro nic durnego nie wymyśliło...

Gdańsk, 3 sierpnia 2006 r.

Ciociu!

Nie odbierasz telefonu, Piotra znowu nie mogę złapać, a muszę to komuś powiedzieć! Jestem w ciąży! Udało się, a już się bałam, że będziemy musieli czekać do kolejnego naszego spotkania.

A tak się dziwiłam, jak żony marynarzy w ciążę zachodzą...

Patrzę na siebie w lustrze i niby wyglądam tak samo, a jednak inaczej. Byłam dzisiaj u teściowej. „Mama" jeszcze ciężko przechodzi mi przez usta. Wypiłyśmy herbatę i podzieliłam się z nią tą nowiną. Nie wiem, czy się ucieszyła. Mam wrażenie, że starała się osłabić mój zapał. No cóż. W takich wypadkach cieszę się, że mam Ciebie.

Ciociu, jutro idę do lekarza. Na razie tylko zrobiłam test. Nie wyślę tego listu, dopóki nie wrócę od lekarza.

4 sierpnia 2006 r.

Ciociu, załączam pierwsze zdjęcie mojego dziecka. Piękne, prawda? Serduszko bije jak dzwon! (słowa lekarza). A ja kocham cały świat!

Joanka

Wigilia to święto rodzinne

Joanna postanowiła, że te święta będą jedyne w swoim rodzaju: spędzą je we dwie i nie popsuje ich ani Piotr, ani ta jego Ivalo. Miały być chrzciny, ale one muszą poczekać. Na lepsze czasy. I na lepszy nastrój. Może na wiosnę?

— Musimy skombinować choinkę — szepnęła do Matyldy. — Wielką, aż do samego sufitu. A pod choinką będą prezenty. Dla ciebie i dla mnie. Bo wiesz? Mikołaj o wszystkich pamięta. Albo Gwiazdor. Wiesz? Do ciotki Gwiazdor przychodził. A na Śląsku Dzieciątko. Jeszcze gdzieś Aniołek prezenty nosi. Nieważne zresztą kto, ważne, że przyjdzie.

W tym momencie ktoś zapukał do drzwi. Joanna pobiegła otworzyć.

— Oluś? — zdziwiła się.

— Ho, ho, ho! — zawołał Oluś, otrzepując z czapki śnieg i równocześnie strząsając go z choinki, którą postawił w przedpokoju.

— Hohoho — odpowiedziała Matylda, która przyczołgała się do wejścia. — Ałał — dodała, dotykając zimnego śniegu.

— Ałał — potwierdził Oluś. — Choinkę przywiozłem — oznajmił, jakby Joanka mogła nie dostrzec drzewka ledwo mieszczącego się w przedpokoju. — Chyba przesadziłem trochę z wielkością… Ale damy sobie radę. – Uśmiechnął się. – Pilnuj, żeby się nie przewróciła, a ja jeszcze coś przyniosę z samochodu.

Joanka stała, wpatrując się w choinkę. Cud normalnie. Ledwo co pomyślała o choince, a ta już stała pachnąca i świeża u niej w domu.

– To cud, kochanie – zwróciła się matka do córki.

– Joanko, wigilia to święto rodzinne – oznajmiła stanowczo ciotka. – Nie będziesz włóczyć się po pubach prawie dwieście kilometrów stąd! Chyba że ze mną!

– Ciociu, ale oni chcą w pubie zrobić wigilię… – Dziewczyna była niepocieszona. Miała dziewiętnaście lat, już studiowała i w tym roku wolałaby spędzić ten wieczór z przyjaciółmi w knajpie niż w domu przy stole, niezależnie jak zastawionym. Tym bardziej że wigilia była właśnie świętem rodzinnym, a jej rodziców nie było, chociaż wolała myśleć, że gdzieś tam są. Skoro zatem była pełnoletnia, miała dowód osobisty i mogła kupować alkohol, zdecydowała się tej nocy wigilijnej wypróbować jego właściwości znieczulające. Taki był plan.

– A oni nie mają rodzin? – zapytała ciotka. – Gdzie są ich matki, ojcowie? Nikt nie dba o tradycję? Co wy w tym pubie zamierzacie robić?

– No wiesz, ciociu… Ann jest z Australii, a właściwie z Tajlandii, Jurij ma wigilię kiedy indziej i dopiero wtedy pojedzie do domu, a Johnny pochodzi z Kenii. U nich Mikołaj jest czarny.

– Czarny, nie czarny... Skąd wiesz, że Mikołaj był biały? – mruknęła ciotka z dezaprobatą. – Słuchaj, Joanko, mam pomysł. Dlaczego nie zaprosisz ich do nas? Posiedzimy, porozmawiamy... Oni mówią po polsku?

– Trochę – nieśmiało odpowiedziała Joanka. – Ciociu, naprawdę mogłabym? – Wizja siebie leżącej pod stołem w niezbyt ciepłym sopockim pubie w zimny grudniowy wieczór zaczęła niknąć wobec zaproszenia Matyldy do Nowego Miasta. – To ja ich zaproszę. – Ze śmiechem rzuciła się ciotce na szyję.

– Joanko, kochanie – Matylda starała się ukryć wzruszenie – wiesz, że lubię młodych. Co ja bym sama robiła w wigilię? A tak? I Azjatka będzie, i czarnoskóry. No! – Oczy się jej zaświeciły. – Tego to u mnie jeszcze nie było! Nie spodziewałam się, że na stare lata będę jeść z Afrykaninem kolację wigilijną. Wnosisz w moje życie powiew młodości, Joanko!

Powiew młodości wyfrunął do Gdańska jeszcze tego samego dnia. Najpierw pojechał pociągiem do Iławy, a stamtąd prosto do siebie, rozmyślając i planując wigilię, aby była polska i jak najbardziej tradycyjna. Joanna chciała pokazać gościom wszystko, co najlepsze.

To było naprawdę niezapomniane Boże Narodzenie. Goście zjechali do małego mieszkanka ciotki już w przeddzień kolacji.

– Czeń dopry – powiedział Johnny. – My pomóc przyjechali. – Uśmiechnął się, czym natychmiast zaskarbił sobie sympatię Matyldy. Ann była małomówna, cały czas kiwała głową, spoglądając na wszystko wielkimi oczami. Jurij śpiewał. Na dodatek wraz z ciotką. A potem już wszyscy śpiewali. Nawet Ann coś nuciła. Johnny grał na bębnie, który rozpakował z kolorowego papieru w Mikołaje.

– To ja ten present jusz teras dam. – Przysunął bęben do ciotki. – Pani ciocia postuka, bum, bum.

Johny śpiewał *Cichą noc* po angielsku, Jurij to samo po ukraińsku, Joanka po polsku, Ann co chwilę wąchała choinkę, żeby sprawdzić, czy na pewno jest prawdziwa, a ciotka bębniła.

Bum, bum.

Tak zeszło im aż do wigilii z małymi przerwami na sen, pomaganie Johnny'emu w klejeniu łańcucha, bo się uparł, że chce mieć prawdziwy łańcuch na „pszeszlicznym tszefku", i na przygotowywanie posiłków. Potraw było więcej niż dwanaście. Oprócz tradycyjnych pojawiły się jeszcze dania przygotowane przez Ann. Jurij na rogach stołu poukładał czosnek, by odpędzić złe duchy, ciotka pod obrus włożyła sianko, a Johnny bębnił kolędy i błyskał białymi zębami w promiennym uśmiechu.

Potem wszyscy zabrali się do rozpakowywania prezentów przy słynnej herbatce ciotki, a w nocy poszli na pasterkę, gdzie wywołali nie lada sensację.

– Odmłodniałam! – oznajmiła ciotka. – Naprawdę odmłodniałam!

– Ciociu, ty zawsze byłaś młoda.

– Joanko... Jak sobie pomyślę, ile ja mam lat, to jestem bardzo zaskoczona. – Matylda popatrzyła w dal. – Czuję się dokładnie tak samo jak wtedy, gdy miałam dziewiętnaście... Joanka wzięła w swoje ręce spracowaną dłoń ciotki. Przytuliła ją do policzka.

– Kocham cię, ciociu – wyszeptała.

Tego dnia ciocię kochali przedstawiciele wielu nacji. I Jurij, który tęsknił za swoją ukochaną Natalią, i Johnny, któremu było tutaj za zimno mimo wielkiej puchowej kurtki, i Ann, która w Polsce czuła się zagubiona i bardzo samotna.

Ciotka dała im nadzieję, że wszystko będzie dobrze. Choć przez parę chwil każdy gorąco w to wierzył.

Joanna uśmiechnęła się do swoich wspomnień. Jakże te święta będą samotne w porównaniu z tamtymi. Jurij i Natalia już dawno wrócili na Ukrainę, Ann i Johnny siedzą w Londynie. Daleko. Westchnęła.

– Nie podoba ci się, Joanko? – zmartwił się Oluś. – Pytam już trzeci raz. Musiałem odrąbać kawałek u góry, bo za duża była... Ale nie jest źle! Czubek włożę.

– Szpic...

– No mówię właśnie. Taki znalazłem, ładny, prawda?
A w przyszłym roku, Tysiu, będziesz z wujkiem piekła pierniczki!

Mała zaczęła chichotać.

– I te pierniczki powiesimy na drzewku. Na razie wystarczą bombki... – Zwrócił się do Joanny: – Masz jakieś bombki?

– Mam, mam. Od ciotki wzięłam, jak tylko przeniosła się do Gdańska.

– Przenieśli ją – poprawił Oluś.

– Właśnie. Poczekaj tu z Matusią, pójdę do piwnicy. – Położyła mu rękę na ramieniu, bo już chciał ruszyć ku drzwiom.

– Ty nie znajdziesz, a ja migiem wrócę.

Choinka wyglądała pięknie. Cała była przystrojona aniołkami i kolorowymi bombkami, pamiętającymi jeszcze dzieciństwo Joanny. Całości dopełniały włosy anielskie i łańcuch zrobiony przez Johnny'ego.

– Tego chyba nie kładziemy? – Oluś się skrzywił.

– Kładziemy! – krzyknęła Joanna. – To ważne! – Powiesiła niezbyt reprezentacyjny łańcuch.

Oluś wzruszył ramionami.

– Pięknie – ucieszyła się Joanka. – Pięknie.

Idylliczny spokój przerwał im telefon, w którym odezwał się Piotr.

– Ona nie chce tego dziecka – stwierdził na dzień dobry.

„Oho, świat idealny przestał być idealny" – pomyślała złośliwie Joanna.

– No i? – udała zainteresowaną.

– Chce wrócić na Spitsbergen i robić badania. A dziecko jej w tym może przeszkodzić. – W jego głosie słychać było rozpacz. – Co ja mam robić, Joanko?

– Ty mnie pytasz o radę? – Joanna nie wierzyła własnym uszom. – Żonę, którą dopiero co zostawiłeś samą z małym dzieckiem? O, nie! To z pewnością nie do mnie! – krzyknęła i rzuciła słuchawką.

Zapadła cisza. Oluś podszedł do Joanny i ją przytulił.

– Wiesz co? – wymamrotała, a jej oczy zrobiły się zupełnie mokre. – Byłam pewna, że powie, że chce z nami spędzić święta i że przemyślał pewne sprawy. Że obieca poprawę i zapomni o tej Ivalo… I tak sobie wyobrażałam, że może łaskawie się na to zgodzę – pociągnęła nosem – ale w życiu, w życiu bym nie przypuszczała, że zadzwoni, by zapytać o radę w takiej sprawie. To jakaś paranoja!

– A mówiłem… Trzeba było mu obić twarzyczkę… – mruknął Olgierd. – Na początek delikatnie, ale ostrzegawczo. To najlepsza metoda na takich, Joanko.

– Na takich nie ma metody, Oluś. Obijanie twarzyczki nic nie pomoże – westchnęła i łagodnie wysunęła się z jego ramion. – Cóż, trzeba żyć dalej.

Płatki śniegu tworzyły na oknie interesujące wzory, Matylda śmiała się z wygłupów Olusia i Joanna w końcu stwierdziła, że to dalsze życie wcale nie musi być takie złe i trudne. Wręcz przeciwnie.

Joanna odrzuciła wszystkie wigilijne zaproszenia. Nie chciała być dla nikogo ciężarem. Zresztą chyba potrzebowała trochę samotności. Nakryła stół dla trzech osób – niespodziewany gość również miał przy nim swoje miejsce. Matylda dostała kaszkę, a Joanna odgrzała sobie kluski z makiem. Odkąd tylko pamiętała, miała ich niedosyt w wigilijny wieczór. Teraz była okazja, żeby to nadrobić.

Włączyła kolędy i wspólnie z Natalią Kukulską śpiewała *Dzisiaj w Betlejem*. Uśmiechnęła się. W Nowym Mieście, kiedy spędzała tam święta, na pasterkę niektórzy przychodzili już nieco rozgrzani i dlatego zawsze skądś dobiegało: *I Józef Stalin, i Józef Stalin ono pielęgnuje*. Joanna długo nie mogła zrozumieć, jak ktoś, kto tak pielęgnuje dzieciątko, może być złym człowiekiem. Przecież ktoś, kto dba o noworodka, nie może być na wskroś zły.

Za to Piotr nie dbał. I na dodatek chciał dziecka z Ivalo. Nie z Joanką.

Po dwudziestej zadzwonił.

– Wesołych Świąt, Joanno – powiedział bardzo smutnym głosem.

– Wesołych Świąt! – odpowiedziała mu radośnie Joanna.

Właśnie położyła Matyldę spać i zdążyła rozpakować prezent gwiazdkowy, który kupiła sobie miesiąc temu i już miesiąc temu zapakowała. Aż zapomniała, co tam było. Jakaś książka, ale nie pamiętała jaka. Uśmiechnęła się do siebie. Otworzyła czerwone wino, nalała do kryształowego kieliszka, usiadła w fotelu, podkuliła kolana i zaczęła czytać. Było jej dobrze. O dziwo, było jej dobrze!

W telewizji Krystyna Prońko śpiewała kolędy, na choince migotały lampki, w domu było ciepło i przytulnie. Nagle Joanka usłyszała pukanie do drzwi. Nie spodziewała się nikogo. Oluś, Patrycja i Przemcio byli u rodziców.

– Niespodzianka! – Patrycja rzuciła się jej na szyję.

– *Przybieżeli do Betlejem paaaa-steee-rzeeee!* – zawtórowali bracia Kwiatkowscy.

– Masz nakrycia dla kilku niespodziewanych gości? – zapytała Pati.

– Jasne! Gdzie dzieciaki?

– Idą, idą.

Koło drzwi pojawiły się dwie śliczne Mikołajki z wielkimi prezentami w rękach.

– Czy są tu jakieś grzeczne dzieci?! – zawołały.

– Są, ale już śpią – odparła z uśmiechem Joanna.

– A jakieś grzeczne ciocie? – pytały dalej.

– Hm... – zastanowiła się. – No nie wiem... Ale wiecie co, chyba są!

Grzeczna ciocia była szczęśliwa. Jej szczęścia nie zmąciły nawet esemesy od Piotra.

„Przepraszam, że przeze mnie czujesz się dziś samotnie. Jeżeli cię to pocieszy, to ja nawet nie mam choinki" – przeczytała Joanna w przerwie koncertu kolęd, jaki zaplanowały dwie panienki Kwiatkowskie. Prawdę mówiąc, ku swojemu zaskoczeniu stwierdziła, że zwisa jej to, czy Piotr ma choinkę. Zwisa i dynda. Jak bombki.

Po chwili przyszła kolejna wiadomość. „Jestem w Sztokholmie, może przylecę jutro?". Joanka wyłączyła telefon i wsłuchała się w rytm kolędy nuconej przez Pelagię. Gdy dziewczynka chciała sięgnąć po chochlę, by zamienić garnek w bęben, Joanka ją powstrzymała. Bała się, że teraz to Matylda na pewno się obudzi. Ale przypomniała jej się tamta Gwiazdka i Johnny bębniący *Cichą noc*.

„Merry Christmas" – napisała esemesa i wysłała przyjaciołom rozsianym po świecie.

Po chwili telefon zaczął wydawać dźwięki.

Życzenia od Johnny'ego i Ann. I od Jurija.

Gdańsk, 14 sierpnia 2006 r.

Kochana ciociu!

Już po wszystkim. Najgorsze minęło, ale do pracy nie mogę wrócić. Zwolnienie pewnie do końca ciąży.

Na wypisie ze szpitala jest kilka słów po łacinie, ale to, co mi brzęczy w uszach, to „ciąża zagrożona". Muszę po prostu na siebie bardziej uważać. Odpoczywać, czytać książki (co mnie wcale nie martwi). Nawet na spacer za bardzo nie wolno mi chodzić. Według lekarza mam prowadzić fotelowo-kanapowy tryb życia. To będę... Nie mam wyjścia.

A powiedz mi, ciociu, co to za pomysły z tym testamentem? Czy Ty się gdzieś wybierasz? Wstrzymaj się jeszcze trochę. Obiecałaś mi komodę i dywan, i to wystarczy. Przydadzą się. Do tego chyba testamentu nie trzeba.

Dziś krótko. Ten szpital wykończył mnie psychicznie. Chyba poczytam coś lekkiego i pójdę spać.

Kocham Cię, ciociu.

Joanka

New year, new life

– Joanko – powiedział przez telefon Oluś – ja się zaopiekuję małą, a ty idź sobie poszalej.

Szaleństwa noworoczne nie były tym, o czym Joanka aktualnie marzyła. Matylda w przedostatnią noc roku dobitnie
domagała się obecności mamy, która na dodatek musiała się
wykazać dużą aktywnością. Tak więc Joanna śpiewała, wy-
głupiała się i bawiła się z córeczką, dopóki ta nie zasnęła o piątej rano, aby obudzić się o siódmej i od nowa domagać się
uciech.

I właśnie dlatego, gdy Oluś zadzwonił rano z propozycją,
Joanna odniosła się do niej mało entuzjastycznie. Wprawdzie
marzyła, aby ktoś się zaopiekował Matyldą parę godzin, ale
tylko i wyłącznie po to, żeby ona sama mogła się wyspać…

– Oluś – odparła – ja marzę tylko o spaniu.

– No ale chyba nie zamierzasz spędzić sylwestra w łóżku?

– To jest myśl! – zawołała Joanka. – O niczym bardziej nie
marzę!

– Joanko! – Oluś był oburzony. – Ty się chyba starzejesz!

Wybuchnęła śmiechem.

– Być może, a cóż mi zostało? Tylko pieluchy i spanie.

– Wiesz co? Potrzebujesz specjalisty – wydukał i się rozłączył.

Joanka nie potrzebowała specjalisty, potrzebowała snu. Jak każda matka. Matylda, zwykle takie spokojne dziecko, tego wieczora również nie mogła zasnąć. W takich chwilach Joanka brała głęboki oddech, liczyła w myślach do dziesięciu i próbowała uwierzyć, że to w końcu nastąpi. Nieważne kiedy. Tak było i tym razem. Gdy mała wreszcie zasnęła, wtulona w misia, Joanna stwierdziła, że może zacząć świętować.

Przygotowała sobie kąpiel, postawiła w łazience zapachowe świeczki, włączyła muzykę i zanurzyła się w pachnącą wanilią pianę. O, nie. Zdecydowanie nie potrzebowała specjalisty. Radziła sobie doskonale i w nadchodzącym roku zamierzała to wszystkim udowodnić. Sobie też.

– Agnieszko, uda nam się – mówiła kilka dni później swojej wspólniczce. – Napiszę wniosek i dostaniemy kasę z Unii.

– Mhm... – Aga nie bardzo wierzyła w pieniądze spadające z nieba.

– Zobaczysz, po jakichś trzech miesiącach będzie już można założyć firmę. Nowy komputer by się przydał, ty przecież musisz mieć oprogramowanie...

– Próbuj, próbuj, ale jeśli nie wyjdzie, nie będziesz rozczarowana?

– Dlaczego miałoby nie wyjść? – Joanna nastawiła się na pozytywne myślenie. – Oni wspierają przedsiębiorczość! Znasz jakąś osobę bardziej przedsiębiorczą niż ja? Bo ja nie znam! – Uśmiechnęła się. – Wyślę ci mailem wniosek, dodasz to, co uznasz za słuszne, i ślemy.

Faktycznie, Agnieszka nie znała bardziej przedsiębiorczej osoby niż jej wspólniczka. A czy inni podzielali jej zdanie, miało się okazać już niebawem.

Niebawem też okazało się, że Joanka musi się stawić osobiście w najbliższy wtorek między godziną dziewiątą a czternastą, aby przynieść wniosek. Przyszła gazela biznesu postanowiła wziąć Matyldę pod pachę i w mroźny styczniowy poranek wyruszyć z domu z teczką pełną dokumentów.

Na szczęście Patrycja przyszła jej z pomocą.

– Kochana, jak Przemcio kiedyś się ubiegał, to stał już od drugiej w nocy. I był setny. A dwustu przyjmowano. A koleżanka w Olsztynie o piątej poszła. Ledwo zdążyła. Ja zajmę się niunią. Nie martw się!

Joanna nie zamierzała.

O czwartej rano w dniu składania wniosku zakutana od stóp do głów Patrycja stanęła na progu mieszkania Joanny.

– Czy ty czasem nie przesadzasz? – zapytała Joanna, ziewając. – Wnioski przyjmują od ósmej, co ja będę tam robić przez trzy godziny?

– Czekać – odparła zdecydowanym głosem Patrycja. – Rano kasza czy mleko?

– Mleko. Potem jest szansa, że jeszcze zaśnie – odpowiedziała Joanna, robiąc kawę. – No, chyba że będzie chciała bawić się z ciocią. Wezmę ze sobą gazetę. Albo książkę. – Spojrzała w okno – Boże, tak ciemno, a ty mi każesz wychodzić? O kurczę! Minus dwadzieścia?!

– Niestety. – Patrycja pokiwała głową. – Ubierz się ciepło.

– Ja już sama nie wiem, czy chcę tych pieniędzy – mruknęła Joanka. – Idę się ubrać. Rajstopy, spodnie, barchany, flanele, polary i futra...

Pół godziny później, o szóstej zero trzy, Joanna Kownacka zapisała się na liście przygotowanej przez komitet kolejkowy pod numerem 156. Do złożenia wniosków o dotacje dopuszczano tylko 200 osób. Zdążyła zatem w ostatniej chwili...

Wysłała Patrycji esemesa z wyrazami wdzięczności i skupiła się w sobie, żeby wytrzymać te dwie godziny, aż wpuszczą ich do budynku, by mogli złożyć dokumenty w warunkach bardziej humanitarnych. Przestępowanie z nogi na nogę w temperaturze minus dwudziestu stopni zdecydowanie nie było humanitarne.

– Joanko, ona chce usunąć ciążę! – Piotr zadzwonił około dziewiątej, kiedy wracała do domu. – Co ja mam robić?

Joanna ziewnęła. Kilka godzin stania na mrozie dało jej się we znaki. Nie miała ochoty rozmawiać. Zwłaszcza z nim.

— Lekceważysz mnie? — oburzył się. — Ja ci się zwierzam jak przyjaciółce, a ciebie to w ogóle nie obchodzi!

— Masz rację — odparła Joanka, popijając kawę, którą kupiła po drodze na stacji benzynowej.

— Słucham?

— Masz rację, mało mnie to obchodzi — odparła szczerze.

Prawie słyszała, jak Piotra zatkało ze zdumienia.

— Joanno!

— Piotr, proszę, nie bądź dziecinny. Jak możesz do mnie dzwonić i mówić mi, że zamiast mnie wybrałeś sobie kobietę, która nawet nie chce twojego dziecka? Ja nie zamierzam żyć twoimi problemami. Ja nawet nie chcę o nich wiedzieć. Jedź sobie już na ten Spitsbergen, nie będziesz miał zasięgu i nie będziesz mi zawracał głowy...

— Czy ty teraz prowadzisz? — zmienił temat Piotr, nagle zaniepokojony. — Dokąd jedziesz? Gdzie Matylda?

— A co cię tak nagle zaczęło to obchodzić?

— Jesteś moją żoną! — wykrzyknął Piotr.

— No chyba żartujesz! Rychło w czas sobie o tym przypomniałeś! — wrzasnęła do słuchawki i się rozłączyła.

Wzięła kilka głębokich oddechów. Na liście rzeczy do zrobienia w tym roku należało również dopisać rozwód. Brr, okropne słowo. Nie będzie lekko.

— Wiesz, Joanno, bardzo kochałam Tadka — powiedziała ciotka podczas jednego z licznych spacerów po cmentarzu. — Ale jak to w małżeństwie, raz bywało lepiej, raz gorzej. Joanna spojrzała na nią z niedowierzaniem.

— Tak, kochanie, gorzej też było. Zanim się dotarliśmy, zanim się nauczyliśmy nie wchodzić sobie w drogę. To bardzo ważne w małżeństwie. Bóg wypróbował naszą miłość. Nie dał nam dzieci, widocznie miał w tym jakiś powód. — Odetchnęła głęboko i poprawiła znicze na grobie męża. — Tu nie palę. Tadek nie lubił, kiedy paliłam. To właśnie jedna z tych rzeczy, z którą starałam się nie wchodzić mu w drogę. Chyba nawet nie wiedział, że to robię. A może wiedział i nic nie mówił? Tak jak ja wiedziałam, że on trzyma w piwnicy koniak. Nie pił dużo. Troszeczkę, czasami. Chyba bał się mi powiedzieć. A ja kochałam go z tym koniaczkiem też. — Ciotka zachichotała. — Takie małe sekrety to nic złego. Każdy powinien w małżeństwie mieć coś swojego, tylko dla siebie. Ale nic dużego. Rozumiesz mnie?

— Rozumiem — odpowiedziała dziewczyna, bo tak jej się wtedy wydawało.

— Ale pamiętaj, Joanko. Najważniejsze jest zaufanie. Należy walczyć o związek, zrobić wszystko, żeby być razem, mimo że — zamyśliła się — czasem się nie da. Czasem nie ma wyjścia. A wtedy trzeba humanitarnie się rozstać. Tak by obie strony doznały jak najmniej krzywd.

Joannie bardzo brakowało ciotki. Teraz właśnie przydałaby jej się taka mądra rozmowa. Tym bardziej że Joanna naprawdę nie miała ochoty na humanitarne rozstanie. Chciała, by Piotr wiedział, co i kogo traci. A to raczej nie byłoby zbyt humanitarne. I chyba wyrządziłoby mu krzywdę. Ale prawdę mówiąc, Joanna nie miałaby nic przeciwko temu, chociaż wiedziała, że to jest złe.

– Ciociu... Pomóż...

Gdzieś tam wysoko zasmucona ciotka Matylda spojrzała na męża i mocno ścisnęła jego dłoń.

Gdańsk, 14 listopada 2006 r.

Ciociu!

Brzuch rośnie, ja rosnę. Mam wrażenie, że jak tak dalej pójdzie, to się w żadne drzwi nie zmieszczę i będę musiała wkładać na siebie namiot. Piotr zrobił mi niespodziankę i przyjechał na kilka dni. Był w Sztokholmie, wsiadł w pierwszy samolot, po czym stanął w progu. Mówię Ci, ciociu, zatkało mnie z wrażenia.

Nie miałam obiadu, lodówka świeciła pustkami. Trochę wstyd, co? Ja w tej ciąży zrobiłam się strasznie leniwa. Tylko bym siedziała i czytała książki albo oglądała telewizję. Najlepiej o śledztwach, zbrodniach i innych przestępstwach.

Piotr przyjechał, spędziliśmy cudowny weekend i... pojechał. Szkoda tylko, że połowę tego weekendu spędziliśmy z jego mamą, która na siłę starała się mu kupić garnitur, dziesięć par majtek, skarpetek i czapek, a ponadto pójść z nim do fryzjera i do dentysty. Jakby był małym dzieckiem. No, ale powiem Ci, ciociu, że przy niej on faktycznie staje się małym dzieckiem.

Byłam dziś na USG, ale jeszcze nie wiadomo, czy to będzie chłopiec, czy dziewczynka. Piotr nie mógł poczekać na wyniki, musiał jechać. No cóż. Następne nagram na płytę i mu wyślę. To dopiero niespodzianka! Też Ci pokażę, jak się zobaczymy.

Ann przysłała maila. Ma pięknego synka. Zazdroszczę jej, że już urodziła szczęśliwie... Ja jeszcze muszę czekać i się denerwować. Powtarzam sobie: byle do porodu, a dzisiaj przeczytałam, że w dniu porodu kobieta tak naprawdę dopiero zaczyna się martwić... I odtąd tak przez całe życie. A wiesz, że ja do martwienia się jestem pierwsza.

Ale na razie wszystko jest dobrze, wyniki mam podobno jak młody drwal.

Zima idzie, to już się czuje. Koc od Ciebie to cudowny prezent.

Joanna

Biznesy górą

Firma działała pełną parą, mimo że na papierze jeszcze nie istniała. Ale to tylko dlatego, że Joanna czekała na wyniki wstępnej selekcji, która miała określić, czy nadaje się do prowadzenia biznesu, czy nie. Sądząc po liczbie zleceń, które napływały, to od Olusia, to od Przemcia, to od przyjaciół zadowolonego pana Mariana, do biznesu nadawała się doskonale. Jednocześnie pisała opowiadania do kolorowych czasopism, o zdradzie, niewiernych mężach, porzuconych dzieciach, smutkach i cierpieniach.

Jak w życiu.

Pani redaktor znowu uznała za bardzo naciągane to, iż mąż zwierza się żonie, że jego kochanka nie chce mieć z nim dziecka. No cóż... Reszta historii została zaakceptowana od ręki. Generalnie zawsze musiał być jakiś książę z bajki, który w niczym nie przypominał żaby, i królewna, która miała żyć z nim długo i szczęśliwie. A jakże.

Joanna też czuła się szczęśliwa. Dziękowała w duchu ciotce za spadek w postaci udziałów w sklepie o niecnej reputacji. Dzięki niemu mogła spokojnie myśleć o przyszłości, bo dochody ze sklepu pozwalały jej zaspokajać potrzeby jej małej rodziny.

Matylda była ubierana jak księżniczka, rozwijała się prawidłowo (w opinii matki i wujka Olusia – ponadprzeciętnie) i nie sprawiała kłopotów wychowawczych.

– Chyba też się przeniosę do Gdańska – stwierdził kiedyś Oluś. – Ja w tym domu naprawdę czuję się samotny. Sklepem i tak, odkąd studiujemy, zajmuje się nasz przyjaciel Staszek. Właśnie podpisałem z nim kolejną umowę. Zatem interes jest w dobrych rękach, a ja zresztą ciągle tutaj przesiaduję i pomagam Przemciom. Słuchaj, a ty czasem nie potrzebujesz niani? – zapytał. – Nadawałbym się?

– Jasne! Przydasz się, jak tylko zacznę się szkolić.

– A masz zamiar? – zdziwił się Oluś. W jego mniemaniu Joanna była jedną z najlepiej wyszkolonych osób, jakie znał.

– Nie mam zamiaru, ale cóż robić. Bez szkolenia nie dadzą mi kasy.

– No a czego będziesz się tam uczyć?

– Biznesu, mój drogi, biznesu…

– Serio? Joanko, jeżeli chcesz znać moją opinię, to wszystko jest bez sensu. Oni od ciebie mogliby się uczyć biznesu. Albo ode mnie i od Przemcia. Ile możesz dostać?

– Czterdzieści tysięcy – odpowiedziała Joanna.

– Kiedy? Od razu?

– Podobno w maju.

– Kochana, do maja to ty zarobisz dwa razy tyle!

– Marzyciel.

– Trzeba marzyć! Joanko, przecież wszystko zaczyna się od marzeń. Człowiek chciał się przemieszczać – wymyślił koło, potem chciał latać jak ptak – i mamy samolot. Trzeba marzyć i nie wolno się ograniczać!

– Jakbym słyszała ciotkę Matyldę – odparła z uśmiechem Joanka.

– No, ba... Ona ciągle nam to powtarzała. I chyba dzięki temu jesteśmy tu, gdzie jesteśmy. I dlatego jeżdżę wielkim samochodem. Mimo że mniejszy byłby wygodniejszy... I czarny kolor też za bardzo mi się nie podoba...

– To dlaczego?

– Hm... – Oluś się zamyślił.

– Nie będę się uczył! – Trzynastoletni Olgierd wymachiwał świadectwem w większości zapełnionym dwójkami i kilkoma trójkami.

– Oluś, za moich czasów dwója to było bardzo źle – powiedziała ciotka Matylda z dezaprobatą.

– Teraz z dwóją się zdaje. – Oluś prychnął gniewnie. – I zdałem. Po co mam się uczyć, skoro i tak pewnie będę siedział w tej dziurze i pił piwo pod klatką? Jak wszyscy tutaj. I tak, i tak będę pił – mruczał cicho.

– To nie wiesz, że marzenia się spełniają? – zapytała ciotka.

– Bzdura – zaprzeczył zdecydowanie.

– Żadna bzdura. Spełniają się. Tylko musisz bardzo, bardzo mocno w nie wierzyć. I musisz co rano to sobie powtarzać. Aż w końcu naprawdę uwierzysz.

– Pani łatwo mówić – żachnął się Przemcio, który do tej pory tylko przysłuchiwał się rozmowie. – Jak ojciec pas wyciąga, od razu zapominamy o wszystkich marzeniach.

– A po co pas wyciąga? – zaniepokoiła się ciotka.

– No jak to po co? – zdziwił się Przemcio.

– Lubi – stwierdził Oluś.

– No, chyba lubi – przytaknął Przemcio.

– Ostatni raz jak po grobach nocą biegaliśmy. – W oczach Olusia zapaliły się iskry. – Ale wie pani... Warto było to lanie dostać. Bawiliśmy się w upiory i wampiry.

Matylda zasłoniła usta, by nie było widać jej uśmiechu.

– A o czym marzycie? – zapytała.

– A bo ja wiem? – zaczął się zastanawiać Przemcio. – Ja bym chciał mieszkać w mieście, gdzie można iść na prawdziwy mecz. Nie taki na boisku, ale na dużym stadionie, wie pani. No ale o czym ja mówię? – Roześmiał się nerwowo.

– A ja bym chciał mieć samochód. Taki wielki i czarny. Z ciemnymi szybami. Żebym mógł dłubać w nosie i żeby nikt mnie nie widział! – rozmarzył się Oluś.

– Widzicie? Macie marzenia – oznajmiła ciotka rozbawiona do łez. – Ale jeżeli chcecie je realizować, nie możecie pić pod blokiem. Za to chodzić po cmentarzach możecie – wyrwało jej się.

– Możemy? – zapytali jednocześnie.

– Herbatki? – Matylda próbowała zmienić temat.

– Ale dlaczego możemy chodzić po cmentarzach? – nie dawali za wygraną.

– Ech. – Ciotka postawiła kubki na stole. – Bo to rozwija wyobraźnię! No ale nie mówcie tego tacie.

Chłopcy energicznie pokiwali głowami.

– Naprawdę pani myśli, że będę kiedyś jeździł dużym czarnym samochodem?

– A ja będę mógł chodzić na mecze, kiedy tylko zechcę?

– Jasne. Po prostu wiem, że tak będzie. Trzeba marzyć i trzeba czegoś bardzo chcieć. A w życiu i w pracy trzeba robić to, co się lubi. Najpierw się zastanówcie, co lubicie. A potem na tym zarabiajcie...

Kilka lat później Oluś i Przemcio doszli do wniosku, że przecież bardzo lubią seks, więc po co daleko szukać? Konsekwencją tego było otwarcie „piekarni"...

– Joanko, marzenia naprawdę się spełniają – powiedział Oluś. – Trzeba marzyć. Jeżeli w coś wierzysz, rób to, a na pewno będziesz szczęśliwa.

– Spróbuję dostać tę kasę z Unii, Oluś. Nie zrezygnuję tak łatwo.

– No dobrze, nie rezygnuj. Z biznesem sobie poradzisz, z pewnością! Ale ja w to, że ktoś mi coś da za darmo, nie wierzę. A własnymi rękami i głową można osiągnąć wszystko.

Joanna tylko uśmiechnęła się w odpowiedzi. Wierzyła, że fundusze naprawdę są przeznaczone dla przedsiębiorczych osób, a ona za taką się uważała. I zamierzała pokazać Olusiowi, że jego sceptycyzm jest nie na miejscu.

Jakże się myliła.

Joanka była wyczerpana. Chodzenie na czworakach z małą na plecach i szczekanie w rytm dziecięcej muzyki przez pół dnia dało jej w kość.

Wieczorami, kiedy Matylda już spała, jej matka mogła swobodnie oddać się pracy i oczekiwaniu na decyzję w sprawie dotacji. A raczej zaproszenie na szkolenie.

Termin wreszcie nadszedł, a wraz z nim prawie czterdziestostopniowa gorączka Matyldy.

– O Boże, Oluś… Nie pójdę! – Joanna co rusz przykładała dłoń do rozpalonego czółka. – Dziecko mam jedno, na cholerę mi jakaś kasa.

– Możesz przełożyć.

– Nie mogę. Wczoraj dzwoniłam. Jakaś opryskliwa baba powiedziała mi, że jak mnie nie będzie, to szkolenie przepada.

– Idź. Ja się nią zajmę – Oluś uspokajał Joannę. – Chyba już jest lepiej.

– Nie wiem, czy dobrze robię...

Joanna wyszła. Cały czas miała przed oczami rozpaloną twarz Matyldy i jej przymrużone, zmęczone gorączką oczy. Ciężki los Matki Polki Biznesmenki. Ciężki. Westchnęła, wsiadła do samochodu i pojechała walczyć o dotację.

– Proszę państwa, dzisiejszy dzień to wstępna weryfikacja państwa wniosków. Po dzisiejszym i jutrzejszym dniu będziemy mogli dokonać wyboru. Najlepsi zakwalifikują się na szkolenie, później napiszą biznesplan – najlepszy z nich dostanie fundusze na realizację. Teraz podzielę państwa na grupy i rozdam zadania do wykonania. W tym czasie będzie was obserwować pani psycholog.

Joanka, słuchając co drugie słowo, pisała esemesa do Olusia z pytaniem o zdrowie Matyldy.

– Proszę wyłączyć komórkę – zwróciła jej uwagę koordynatorka projektu.

Dziewczyna skinęła głową.

– Tutaj są materiały. Słomki, taśma klejąca i... surowe jajko. – Kobieta uśmiechnęła się szeroko. Joanna spojrzała na nią sceptycznie.

– Państwa zadanie będzie polegało na zbudowaniu ze słomek i z taśmy klejącej lądowiska dla surowego jajka.

– Lądowiska? – wyrwało się zdziwionej Joance.

– Tak, lądowiska – potwierdziła koordynatorka.

Joanna jęknęła. W domu dziecko z wysoką gorączką i z, bądź co bądź, obcym facetem, a ona buduje lądowisko dla jajka!

Jęknęła jeszcze raz. Sądząc po odgłosach, jakie dobiegały z sali, jako jedyna była aż tak sceptycznie nastawiona do tej przedziwnej zabawy, która doprawdy niewiele wnosiła w jej życie. Niestety, zdawała sobie sprawę, że z takim podejściem może liczyć tylko na ocenę: jednostka aspołeczna, nie potrafi nawiązywać prawidłowych relacji międzyludzkich, nie warto jej dofinansowywać... Chociaż w tym momencie było jej to naprawdę obojętne.

Banda rozkrzyczanych dużych dzieciaków z zapałem sklejających kolorowe słomki i rozważających, czy to jajko spadnie, czy nie... A na dodatek przechadzająca się wokół nich pani w okularach na nosie, skrzętnie coś notująca w notesie.

To jakaś farsa. Albo horror.

– Kończymy! – Koordynatorka zaklaskała. – Sprawdzimy teraz, co się stanie z jajkami.

Joanna odczytała właśnie esemesa, że Matylda ma już tylko trzydzieści siedem stopni. Uff. Lekarstwo zadziałało.

Grupa jęknęła. Widocznie jajko się rozbiło. Ona również była bliska jęku. Po chwili druga grupa wydała z siebie podobny dźwięk. Drugie jajko się rozbiło.

– Dziękuję państwu – oznajmiła pani z notesem. – Jutro omówimy wyniki.

– A ja mam pytanie – padło z sali. – Kiedy będzie można założyć firmę?

– Kiedy przejdą państwo pierwszy etap szkoleń.

– A kiedy to będzie? – dociekała niewysoka blondynka.

– Teraz trwa rekrutacja, potem jeszcze rozmowa, wyniki… – wyliczała babka z czerwonym notesem. – Potem okres wakacyjny, więc nic się nie dzieje, sezon urlopowy… Ale myślę, że we wrześniu już będą państwo właścicielami firm.

– We wrześniu? – wyrwało się zdumionej Joance.

– Tak myślę.

– Ale to prawie dziewięć miesięcy!

– Jak to we wrześniu? – Blondynka zerwała się na równe nogi. – Jak to we wrześniu?! Ja chciałam otworzyć lodziarnię w Grudziądzu!

– Dziewczyna od lodziarni ma przerypane – stwierdziła Joanna po powrocie do domu. – Zresztą ja tak samo. Zaraz pogadamy, tylko pójdę zobaczyć, co z Matyldą. – Weszli do pokoju małej, Joanka dotknęła jej czoła. – Chyba minęło, co? – szepnęła.

Oluś pokiwał głową.

– Tak, było już zupełnie okej. Temperatura spadła. Bawiła się zupełnie normalnie.

– No tak, dziecko leży w domu z gorączką, a matka buduje lądowisko dla surowego jajka! – prychnęła Joanna, gdy wyszli od Matyldy.

– Co? Jakiego jajka?

– Surowego, Oluś, surowego – odpowiedziała Joanna. – Banda dorosłych ludzi, w tym ja, latała wokół stołu, żeby zbudować lądowisko.

– Joanko… Ja nic nie rozumiem – Oluś był coraz bardziej zdezorientowany.

– Tu nie ma nic do rozumienia. Dostajesz słomki, takie do picia, dostajesz taśmę klejącą i budujesz. A potem spuszczasz jajko i sprawdzasz, czy się zbije.

– I zbiło się? – zainteresował się Oluś.

– Jasne, że się zbiło. – Joanna wzruszyła ramionami. – Taka rozpacz nastała, że zaczęłam się zastanawiać, czy nie zjednoczyć się z nimi w żalu. W innej sytuacji pewnie bym się cieszyła, mogąc brać udział w czymś takim, ale nie jak moje dziecko gorączkuje. Poza tym nie bardzo rozumiem, czemu to miało służyć. Owszem, gdy w grę wchodzi zarządzanie projektem, praca grupowa, ale jednoosobowa działalność czy spółka cywilna? – Wstała i poszła do kuchni. – Ale jestem głodna. – Zajrzała do lodówki. – Oluś, mogę te kanapki?

– Jasne, zrobiłem więcej, bo wiedziałem, że będziesz głodna.

– Jesteś aniołem – stwierdziła Joanna i pocałowała go w sam czubek łysiny.

– No, ba! – potwierdził Oluś. – Każda mi to mówi. A w zasadzie żadna... – posmutniał.

Tak naprawdę nie mówił mu tego nikt. A w szczególności nie kobiety. Miewał przelotne romanse, zakochiwał się z prędkością światła, ale na chwilę. Ta była za głupia, ta z kolei nie mogła znieść, że Oluś prowadzi sex shop, inna uwieszała mu się na ramieniu tak, że mimo kilkunastu już lat spędzonych w siłowni wracał do domu zmęczony niczym po maratonie...

– Ja widocznie muszę być sam. Nie potrafię wytrzymać z kimś dłużej niż trzy dni – zwierzył się raz Joannie, gdy miał gorszy dzień. – Albo ja nie wytrzymuję, albo one. Mam wrażenie, że każda leci na kasę albo na bicepsy.

– No, bicepsy robią wrażenie – zgodziła się Joanka.

– Ale przez to lgną do mnie same plastikowe panienki. Ja nawet nie odróżniam, co w nich sztuczne, a co nie. Wiesz, trzeba by chyba taką wywieźć na miesiąc do lasu albo wrzucić do jeziora, żeby się przekonać.

– Oluś, jaki z ciebie romantyk!

– No i znowu ze mnie drwisz – westchnął.

– Jakżebym śmiała! – Joanna poklepała go po ramieniu.

– Wiesz co? Ja bym chciał, żeby przyszła do mnie taka w krótkiej sukience w kwiatki, uśmiechnęła się i powiedziała, że przyniosła truskawki w koszyku.

– Truskawki?

– No, truskawki. Albo inne owoce. Do tej pory przynosiły szampana, wino, jedna nawet kawior. A ja chciałbym po prostu truskawek z koszyka.

– Ty rusałki chcesz, a nie kobiety! – podsumowała Joanna.

– Jak zwał, tak zwał. Ale nie chcę plastikowej lali. Takie to ja mam w sklepie.

– No tak… – Joanna lekko poczerwieniała.

– Kiedyś zakochałem się w oczach jednej dziewczyny. I co? Patrycja uświadomiła mnie, że ona ma sztuczne rzęsy. Owszem, były takie długie, że nie wiem, jak ona w ogóle te oczy zamykała.

– Bardzo ci to przeszkadza?

– Jeśli dziewczyna to lubi, niech sobie nosi. Ale mnie się to nie podoba. Ja chciałbym, żeby ona pląsała ze mną po rosie!

Joanna nie wytrzymała. Wyobraziła sobie osiłka, sto kilo mięśni, pląsającego na bosaka po rosie. Oboje wybuchnęli głośnym śmiechem.

– Chciałabym to zobaczyć! – zawołała Joanka, krztusząc się ze śmiechu. – I życzę ci tego z całego serca!

Oluś uśmiechnął się szeroko. W gruncie rzeczy wiedział przecież, że marzenia się spełniają. Trzeba tylko w to wierzyć. On bardzo wierzył, że jego rusałka gdzieś tam istnieje. Ba, był o tym święcie przekonany!

Wystarczyło tylko cierpliwie poczekać.

Joanka też czekała – na wyniki zabawy grupowej. Cały czas się zastanawiała, czy powinna już teraz założyć firmę, bez dotacji dla osób przedsiębiorczych, czy też raczej czekać cierpliwie.

Czekać i tak naprawdę nie robić nic albo pracować na czarno. Klienci zaczynali już wchodzić drzwiami i oknami, a ona wciąż musiała odsyłać ich z kwitkiem, gdyż nie mogła wystawiać faktur. I zewsząd słyszała sugestie, że powinna otworzyć firmę, przecież robota leży na ulicy, wystarczy po nią sięgnąć.

Joanna wciąż jednak wierzyła w sprawiedliwość społeczną i w to, że dofinansowanie otrzymają ci najbardziej przedsiębiorczy, czyli również ona. I to właśnie dlatego nie wyobrażała sobie, że będzie musiała czekać pół roku na założenie własnej firmy.

– Wiesz, Patrycja, ja naprawdę nic z tego nie rozumiem. – Siedziały w sklepie na skórzanej kanapce (nowy nabytek), na której Pati zwykle rozmawiała z zagubionymi mężczyznami, szukającymi sposobu na życie. Matylda bawiła się włosami Patrycji, kot łasił się do kolan Joanny.

– Jak zacznie bardziej kumać, nie będę mogła jej tu przyprowadzać – westchnęła Joanna, wskazując na córkę. – Chyba że zrobicie jakąś ściankę działową, żeby nie oglądała tych... hm... panienek...

– Ma być ścianka, ma być. Kanapa będzie pośrodku, tam bielizna, a tutaj „piekarnia". Już by tak było, ale zależało nam, żeby szybko otworzyć, i plany prysły. No, ale chciałaś coś powiedzieć o twojej firmie?

– Jaka tam moja firma… Nie ma firmy, bo muszę czekać pół roku, aż mi kasę dadzą. Wiesz, niby wspierają przedsiębiorczość, ale pieniądze dają tym, którzy generalnie sobie w życiu nie radzą.

– Jak to nie radzą?

– No nie radzą. Kiedy przed złożeniem wniosku zapytałam, czy mam tam zapisać wszystkie szkolenia, jakie przeszłam, babka powiedziała mi, że raczej nie, bo mogą uznać, że jestem zbyt wykształcona. I że szkolenia oferowane przez nich do niczego mi się nie przydadzą. – Westchnęła. – Jasne, że się nie przydadzą, jasne, że jestem dobra – podniosła głos – ale potrzebuję tych pieniędzy! Czy to znaczy, że skoro na pewnym etapie mojego życia chciało mi się usiąść na tyłku i uczyć, a innym nie, to mam być za to ukarana?

Patrycja milczała.

– Chcę założyć firmę, mam pomysły, mam plany, mam już nawet klientów! Potrzeba mi tylko kasy na początek! Lepszego komputera, dobrej drukarki… No cóż, może powinnam udawać głupszą, niż jestem w istocie, żeby się załapać. Mówię ci, Pati, świat stanął na głowie.

– A bez tego sobie nie poradzisz? – zapytała Patrycja, zrzucając kota, który próbował wskoczyć na jej kolana. Zupełnie mu nie przeszkadzało, że są zajęte przez Matyldę. Widocznie uważał, że kolana Patrycji należą do niego, a nie do tej niedużej różowej dziewczynki.

— Bez czego?

— No bez kasy. Przecież przez pół roku taką kasę możesz zarobić.

— Mówisz jak Oluś — westchnęła Joanna.

— Ha, mądry chłopak z tego Olusia — podsumowała z uśmiechem Patrycja. — Rzekłabym, że moja krew, ale to nieprawda. Dasz sobie radę. A my ci pomożemy.

Kochana Ciociu!

To chłopak! Tak twierdzi pan doktor. Pokazywał mi na USG coś, co według niego miało być atrybutami męskości, ale ja – mimo bogatej wyobraźni – kompletnie nic nie widziałam, dlatego musiałam uwierzyć mu na słowo. Na początku nie był pewny, ale potem stwierdził, że stawia koniak, jeżeli to nie będzie chłopak.

Zatem będziemy mieli Jasia w rodzinie. Na początku miałam nadzieję na dziewczynkę, te kokardki, wstążeczki i koronki na sukienkach, no ale teraz widzę już tylko Jasia. I bardzo się cieszę, i uśmiecham się do brzucha.

Wysyłam Ci zdjęcia Jasia. Doktor nawet zaznaczył to, co jego zdaniem świadczy o tym, że to Jaś, może Ty coś dojrzysz...

Cieszę się, ciociu, że już za miesiąc będziesz bliżej nas, chociaż trochę mi przykro, że nie u mnie, tylko u Anki. No, ale może to lepiej dla Ciebie. Tam jest ogród, możesz sobie posiedzieć, a u nas jednak blokowisko.

Tak czy owak będziesz bliżej. To dobrze.

Joanka

Przeprosiny przyjęte i przyjaźń na horyzoncie

Joanka wiedziała, że da sobie radę. Czuła to intuicyjnie, jednak brakowało jej impulsu. Impuls – czy raczej burza z piorunami – nadszedł z nieba. Joanna była pewna, że maczała w tym palce ciotka Matylda, tudzież inne moce, może nawet piekielne.

Zaczęło się od telefonu.

Zadzwonił o siódmej rano, budząc Joannę, wymęczoną całonocnym czuwaniem nad córką. Matylda nie chciała spać, domagała się obecności mamy. Gdy ta była w pobliżu, mała leżała spokojnie, ale kiedy Joanna próbowała wstać i pójść do swojego łóżka, Matylda dawała znać światu, że żyje i że chwilowo to życie przestało jej odpowiadać. W posłaniu mamy też jej się nie podobało, od urodzenia przyzwyczajona do swojego łóżeczka nie potrafiła zasypiać gdzie indziej. Joanka natomiast dowiedziała się, że w sumie przed łóżeczkiem na podłodze też można się wyspać. Tylko kręgosłup potem trochę boli. Ale nie na tyle, żeby nie można się było zerwać o siódmej rano na dźwięk telefonu.

– Halo – powiedziała zaspanym głosem.

– Cieszę się, Joanko, że już nie śpisz – usłyszała. Piotr.

– Spałam. Telefon mnie obudził. – Ziewnęła.

– To dobrze – rzekł zbolałym głosem. – Musimy porozmawiać.

– A możesz sobie wybrać inny termin na rozmowę? Siódma rano po nieprzespanej nocy zdecydowanie nie jest dobrą porą. Niezależnie od tematu.

– Joanno, proszę – jego głos nie mógł być już bardziej zrozpaczony.

– O czym chcesz rozmawiać? – Usiadła na podłodze po turecku.

– O nas – odparł.

– O nas? – Joanna ucieszyła się, że siedzi. – Nas już chyba nie ma... A co? Romans z lodowatą szwedzką księżniczką ci nie wyszedł?

– Kocie...

– „Kocie"? Piotr, czy ty się dobrze czujesz? Najpierw zwiewasz do jakiejś szwedzkiej baby, robisz jej dziecko, a potem mówisz do mnie „kocie"? A może powiesz mi jeszcze, że chciałbyś wrócić? Idź do niej, czekaj sobie na dziecko, badaj te swoje głazy i bądź szczęśliwy.

– Nie ma dziecka – powiedział smutno Piotr. – Nie chciała – głos mu się załamał. – Wyobrażasz sobie, że nie chciała mieć ze mną dziecka?

– Piotr, przykro mi – naprawdę go żałowała – ale to, co było między nami, to przeszłość. Przykro mi, że ci nie wyszło. Naprawdę.

— Joanko, proszę. Dużo ostatnio myślałem...

— Przestań. Powinieneś był raczej pomyśleć, zanim się z nią przespałeś. I wtedy, kiedy nie było cię w domu. Kiedy nie byłeś ze mną, a Matylda się rodziła. Wtedy powinieneś był myśleć. — Joanna była wzburzona. — Ja już się przyzwyczaiłam do życia bez ciebie. I zaczyna mi być dobrze. Proszę cię, nie psuj tego. Wracaj do swoich badań i do tej Ivalo. Może ułożycie sobie jeszcze życie. Ja swoje układam. Bez ciebie.

Rozłączyła się i wyciszyła komórkę. Trzymała ją w ręku i tylko patrzyła, jak Piotr dzwoni raz za razem.

Matylda jeszcze spała. Joanna przykryła córkę kołderką i poszła do łóżka. Musiała jeszcze na chwilę zamknąć oczy. Nie lubiła takich poranków. Wszystko jej się przypominało i wciąż miała w głowie zdjęcie roześmianej Ivalo z jej mężem.

Czasem chyba wolałaby, żeby umarł. Wtedy mogłaby się z tym jakoś pogodzić. Ale ciężko jej było pogodzić się z tym, że jej mąż, ojciec jej córki, jest z inną kobietą. Nie wyobrażała sobie jednak tego, żeby miał wrócić.

Zupełnie sobie tego nie wyobrażała.

— Widzisz, Tysia? Ty lepiej śpij w nocy — mówiła do córki.

— Bo jak nie śpisz, to mama jest zaziewana. Za-zie-wa-na.

Zupełnie nie wiadomo, dlaczego Matyldę tak bardzo to rozbawiło.

– Ciocia Agnieszka zaraz przychodzi. Będziemy rozmawiać o biznesie. Bo mama będzie miała firmę, wiesz? I staniemy się bogate.

Zadzwonił dzwonek do drzwi.

– Otwieram! – zawołała śpiewająco.

W drzwiach stała teściowa.

– Mama?

– No mama, a kto? – zdziwiła się teściowa. – Nie dzwonisz, nie piszesz. W ogóle nie wiem, co się u was dzieje. Chciałabym z tobą porozmawiać o Piotrusiu.

– O... o Piotrusiu? – Joanna wzięła Matyldę na ręce.

– Wytrzyj jej buzię, kochana. – Teściowa podała Joannie nieskazitelnie białą chusteczkę. – Brudne to dziecko.

„To dziecko" zaczęło płakać. Kobieta zrobiła zbolałą minę. Złapała się za głowę.

– O której ona śpi? – zapytała.

– Matylda – poprawiła Joanna i w tej krótkiej chwili przypomniała sobie, dlaczego nie lubiła swojej teściowej i dlaczego zupełnie jej nie przeszkadzało, że ta po urodzinach Matyldy ograniczyła się tylko do telefonu z gratulacjami. – To dziecko ma na imię Matylda.

– No przecież mówię, że ona. No nic, porozmawiajmy. Joanko, Piotruś do mnie dzwonił i był jakiś smutny. – Ściszyła głos. – Czy on ma jakieś problemy? Musimy zrobić wszystko, żeby mu pomóc.

Joanna otworzyła oczy szeroko ze zdumienia. Tyle czasu już upłynęło, a Piotruś nawet mamusi nie powiedział, że wybrał lodowatą Szwedkę wielbiącą nunataki?

– Ale...

– Żadne „ale", Joanko. Wytrzyj buzię temu dziecku.

– Matyldzie.

– No mówię przecież. Wytrzyj mu buzię.

W Joannie aż się zagotowało. Z premedytacją podała Matyldzie chrupkę z czekoladą, by jeszcze bardziej się wysmarowała. I najlepiej wszystko wokół.

Teściowa się skrzywiła.

– No to co u Piotrusia? – zapytała.

W tym momencie zadzwonił dzwonek i Joanna poszła otworzyć drzwi. Do mieszkania wparowała roześmiana Agnieszka.

– Kochana, jestem dziś sama. Dziecka się pozbyłam!

– Ciii – Joanna położyła palec na ustach – teściowa jest u mnie.

Aga wykonała taki gest, jakby chciała od razu uciekać.

– Nie zostawiaj mnie z nią samej! – poprosiła Joanka. – Ona przyszła zapytać, dlaczego Piotruś jest taki smutny. Normalnie cholera mnie bierze. – Poszła do kuchni zrobić kawę, a Aga weszła do pokoju.

– Dzień dobry. – Podała rękę siedzącej tam kobiecie. – Agnieszka Nowak.

– Grażyna Kownacka. Witam – powiedziała ta oschle. – Właśnie omawiałyśmy z Joanną sprawy rodzinne, a pani tak niespodziewanie przyszła... – zawiesiła głos wyczekująco.

Agnieszka nie dała się podpuścić. Milczała.

– ...niespodziewanie przyszła... – powtórzyła teściowa. – No. Przyszła. Ekhm.

Joanka wróciła z trzema filiżankami kawy.

– Wiesz, mamo, mamy dziś spotkanie zarządu. Planowane od tygodnia – oznajmiła stanowczo.

– Zarządu? O co chodzi?

– Zakładam firmę. Marketingową.

– No, a co ty właściwie będziesz robić? Reklamy?

– Ja będę pisać teksty, Aga zajmie się grafiką.

– Jakoś nie chce mi się wierzyć, żeby chcieli za to płacić. I znowu wszystko będzie na głowie Piotrusia. Zarząd, nie zarząd, musimy porozmawiać. – Spojrzała wymownie na Agnieszkę.

Joanna spiorunowała wzrokiem Agę, która nagle zaczęła zbierać się do wyjścia.

– Słucham.

– No, ale może pani Agnieszka zrobi sobie mały spacerek? – zaproponowała pani Grażyna.

– Mamo, Aga to moja przyjaciółka. Nie mam przed nią tajemnic. To, dlaczego Piotruś jest smutny, też wie.

– O Boże, jednak coś się stało! – westchnęła teściowa. – Pani Agnieszko, może pani mi powie, bo od żony mojego syna zbyt wiele nie mogę się dowiedzieć.

– Och! To może ja pójdę na spacerek? – wtrąciła się Joanna. – Wiecie co? Pójdę nakarmić Matyldę, a kiedy zaśnie, wrócę do was. A wy przez ten czas sobie pogadajcie.

Agnieszka spojrzała z przestrachem na Joankę.

– Masz zielone światło, kochana – powiedziała Joanna. – Zie-lo-ne. Ja już nie chcę kolejny raz przez to przechodzić – dodała i wyszła.

– Czy mi ktoś wreszcie powie, co się stało? Czy mój syn jest chory? – Pani Grażyna się zdenerwowała.

– Tak, proszę pani – odparła Agnieszka. – Ale umysłowo. Kobieta spojrzała na nią z dezaprobatą.

Aga wyrecytowała jednym tchem:

– Piotr zostawił Joankę dla jakiejś szwedzkiej baby, zrobił jej dziecko, tamta dziecka nie chciała, usunęła, a on chce teraz wracać do Joanki. A ona już go teraz nie chce. No i dlatego jest smutny. W sumie nie dziwię się. Też byłabym smutna.

– Jak to? – Pani Grażyna zaczęła wachlować się książką, jakby nie mogła złapać oddechu. – Jakie dziecko, jaka baba? O Boże. I jak to Joanka go nie chce? Przecież są małżeństwem! Małżeństwo to świętość!

– I tu się z panią zgadzam. Świętość. Dlatego Joanna miała prawo się wnerwić, kiedy się dowiedziała, że on będzie ojcem dziecka szwedzkiej lafiryndy.

– No tak. O Boże, Piotruś. Jak ja cię wychowałam? – szepnęła w nicość pani Grażyna.

W istocie wychowaniem Piotrusia mama Kownacka się nie popisała. Gdy Joanna wróciła z pokoju Matyldy, panią Grażynę opuścił cały animusz, jaki wcześniej aż się z niej wylewał.

— To wszystko moja wina — stwierdziła ze smutkiem. — Joanno, dasz mu jeszcze jedną szansę?

— Mamo, czy to ma sens? — zapytała spokojnie Joanka. — Jakim my jesteśmy małżeństwem? Piotra wciąż nie ma. Wiecznie na tych swoich statkach, bada te swoje głazy...

— I nie tylko głazy, jak się okazało — kąśliwie dodała Aga.

Joanna położyła jej rękę na kolanie na znak, by już przestała.

Pani Grażyna siedziała skulona na fotelu. W niczym już nie przypominała tej pewnej siebie osoby, która godzinę temu dumnie wkroczyła do domu Joanki.

— Ja już pójdę. Za dużo tego wszystkiego.

— Zamówię mamie taksówkę. — Joanna chwyciła za telefon.

— Nie, dziecko, nie. Muszę się przejść, przemyśleć sobie pewne rzeczy. Matylda jest śliczna. Mogę ją jeszcze kiedyś odwiedzić?

— Mamo, to twoja wnuczka.

— Wiem, wiem. Ale jakoś tak mało jest „moja". Zadzwonię, to się umówimy. Trzymaj się, Joanno. — Zastanawiała się nad czymś dłuższą chwilę. – Przepraszam cię za mojego syna – dodała i wyszła.

– Przeprosiny przyjęte – szepnęła Joanna, gdy zamknęła drzwi za matką Piotra. – On mnie nie przeprosił. No cóż, byle do przodu. Nie po to się spotkałyśmy, żeby płakać!

– No nie – zgodziła się Aga. – Zdecydowanie nie.

– Z tego wszystkiego zapomniałam ci powiedzieć, że pięknie wyglądasz! Nowa fryzura!

– U Mariana byłam!

– U naszego Mariana?

– No, u naszego. Strzygł mnie, farbował, latał wokół mnie, jakbym była jakąś perską księżniczką. I nieustannie zachwalał. Aż jedna babka poprosiła mnie o wizytówkę. O wizytówkę, której niestety nie miałam...

– Cholera.

– Powiedziałam, że zapomniałam. Ale zapisała telefon, maila i powiedziała, że się odezwie. Tylko ona zleca wyłącznie na faktury. – Popatrzyła na przyjaciółkę. – Joanko, musimy otworzyć tę firmę.

– Czyli nie czekamy do września? – upewniła się Joanna. – Ale wiesz, że czterdzieści tysięcy piechotą nie chodzi.

– Kochana, zacznijmy wreszcie być dorosłe. Na razie tylko się bawimy. Trzeba stanąć na nogi i wreszcie zacząć żyć, a nie wiecznie czekać, że ktoś coś nam da za darmo!

– Oluś mówił, że nie będzie łatwo...

– No i miał rację! Olejmy tę kasę. Same ją zarobimy. Zobacz, ściągnęłam umowę spółki z internetu. Trochę się przerobi i już, damy sobie radę.

– Olewamy kasę! – zawołała Joanka. – Jeśli oni nie chcą wspierać przedsiębiorczych, to ich strata. Ogromna!

Pierwszego lutego dziewczyny zarejestrowały firmę. Czwartego Joanka dostała maila.

Witam serdecznie!

Chciałabym w kilku słowach przedstawić się Państwu i zapytać o możliwość podjęcia współpracy. Być może tych kilka słów zainteresuje Państwa i przekona do tego, aby pomyśleć o mnie jako o potencjalnym pracowniku agencji.

Dlaczego? Ponieważ w dotychczasowej historii mojej podróży zawodowej znajdą Państwo kilka – typowych i mniej – przystanków pod tytułem „Reklama", a plecak doświadczeń może okazać się cenny.

W ostatnich miesiącach skupiłam się na media relations...

Tu następowała wyliczanka dość bogatego doświadczenia nadawcy listu. Ale nie to Joankę zainteresowało. Najciekawsze było poniżej.

Dodatkowo cechują mnie otwartość i szczerość. Głowa pełna pomysłów i marzeń. Ogromne chęci ich realizacji. Mobilizacja i plany rozwoju. Determinacja w dążeniu do celu. Niegasnący entuzjazm. Wyznaję teorię, że nie ma rzeczy niemożliwych. Odnajduję się w projektach, które wymagają ode mnie samodzielności, ale nie neguję idei pracy z innymi. Nie od dziś wiadomo przecież, że co dwie głowy, to nie jedna.

Moim celem jest praca, która oprócz oczywistych korzyści finansowych przyniesie mi satysfakcję z realizowania własnych pomysłów. Praca z ludźmi, których cechują poczucie humoru i wzajemny szacunek.

Jeżeli zauważyli Państwo choć iskierkę tkwiącego we mnie potencjału i zechcą porozmawiać o możliwościach wykorzystania go w trakcie realizowanych projektów – jestem otwarta na propozycje współpracy.

Polecam się Państwa uwadze, pozdrawiam!

Agata Em

Joanka uśmiechnęła się i sporządziła odpowiedź. Jeszcze nie wiedziała, że ta korespondencja będzie początkiem przyjaźni.

Pani Agato!

Dziękujemy bardzo za przesłaną aplikację.

Przyznam, że firma istnieje na rynku dopiero jakieś trzy dni, więc stałego zatrudnienia zaoferować nie mogę, ewentualnie współpracę, być może jednak przyda nam się pani już teraz.

Proszę napisać, co chciałaby Pani robić i w czym czuje się Pani najlepiej.

Pozdrawiam

Joanna Kownacka

Dwie gazele biznesu w pogoni za opiekunką

– A co zrobimy z dziećmi? – zapytała posępnie Agnieszka. – Nie da się tak długo pracować po nocach. – Zasępiła się. – Ja mam chwilowo dość. Kacper w ciągu dnia przestaje spać, cały czas chodzę zmęczona...

– Mati jeszcze śpi... – odpowiedziała Joanna. – A ja wraz z nią. No ale co? Żłobek?

Spojrzały jednocześnie na swoje dzieci, które przewracały się każde w inną stronę na dywanie. Wydawały się całkiem zadowolone z życia.

– Będą chorować – skwitowała Agnieszka.

– Będą – przytaknęła Joanka.

– Niania?

– Wiesz, tyle się słyszy... – powiedziała Joanka. – Ja chyba mogłabym powierzyć swoje dziecko jedynie sprawdzonej francuskiej guwernantce.

– Doprawdy nie wiem, jak nasze mamy to robiły – szepnęła Aga. – Czasem mam ochotę się uwolnić, wyjść z domu, ale zostawić obcej babie dziecko na cały dzień? – Zamyśliła się. – Słuchaj, a może pani Grażynka?

– Jaka pani Grażynka?

– No, twoja teściowa.

– Moja teściowa? – Joanna zachłysnęła się kawą. – W życiu! Zobacz, jak ona swojego syna wychowała!

– Racja. Kacpra jej nie powierzę.

– No widzisz.

– Bo jeszcze zostanie damskim bokserem – z przekonaniem oznajmiła Agnieszka.

Sytuacja wyglądała na beznadziejną. Odkąd firma została założona, pieniądze powinny się lać strumieniami w skrzynie posagowe ich dzieci, a tu raptem nie ma czasu na pracę. Życie...

– Joanko, szybko znajdziesz nianię. Nianie, moja droga, chodzą stadami – oświadczyła Patrycja.

Joanna miała niewyraźną minę, Patrycja jednak wierzyła w słuszność swoich słów.

– Naprawdę. Nianie żyją stadnie, niczym flamingi. I każda każdą zna, a jeśli nie zna, to wyczuwa drugą na kilometr. Wystarczy pójść na spacer. Pogadać, popytać. Zresztą wiesz, że dziecko jest najlepszym barometrem. Jeśli ryczy na sam widok, pożegnaj grzecznie panią i dzwoń do następnej. Dzieci, pijacy i psy po prostu wyczuwają dobrego człowieka.

— Wiesz, nianie tak jak zwierzęta sawanny żyją stadnie. — Joanka próbowała wytłumaczyć Agnieszce zawiłe zwyczaje tego zdecydowanie odrębnego gatunku ludzkiego. — Wszystkie się znają. Pójdziemy na spacer, znajdziemy te najfajniejsze i zapytamy o ich bezrobotne koleżanki.

— Jest to jakiś pomysł.

— Wszystkie babki, które spotykamy w lesie z wózkami, to opiekunki — kontynuowała myśl Joanna. — Emerytki już, ale bardzo sprawne. Chodzą i plotkują, i na pewno będą wiedziały, która jest wolna. Ja tam jutro pójdę i popytam! — oznajmiła.

Jej pęd do biznesu był na tyle silny, że najchętniej natychmiast udałaby się na poszukiwania niani, powstrzymywało ją jednak kilka rzeczy. Musiała napisać trzy listy w imieniu pewnej firmy, bo prezesowi się po prostu nie chciało, a poza tym wybiła właśnie godzina dwudziesta druga i wszystkie dobrze prowadzące się nianie zapewne układały się do snu. Takiej też niani przyszłe kobiety interesu szukały.

Następnego dnia, zaopatrzone w telefony do pięciu potencjalnych kandydatek, wróciły ze spaceru dość szybko, lecz z poczuciem dobrze spełnionego obowiązku. Dzieci były mniej zadowolone z tego powodu, ale mamy uśpiły ich czujność chrupkami.

Do obiadu wszystkie nianie zostały obdzwonione; okazało się, że dwie z nich w ogóle nie są nianiami, lecz to dziewczyn nie zraziło. Trzy potencjalne kandydatki to już było dużo.

Joanna nalegała na szybkie spotkanie, więc od siedemnastej miały zacząć się pojawiać.

Pierwsza zachwyciła Matyldę. Szczególnie jej wielkie kolczyki w uszach. Kiedy natomiast Kacper ją zobaczył, wybuchnął takim płaczem, że nie pozwolił matce zadać pytań, które skrzętnie wynotowała sobie na karteczce. Pani podziękowano.

Druga kandydatka miała czerwone włosy, które bardzo zainteresowały Kacpra, niestety Matylda, wtulona w matkę, darła się wniebogłosy.

Cała nadzieja była w trzeciej niani. Gdy zapukała, Joanna odetchnęła z ulgą. Nie miała ani czerwonych włosów, ani wielkich kolczyków, i wydawała się całkiem normalna. Dzieci jednak sądziły inaczej: wyły jedno przez drugie.

Matki westchnęły. Dochodziła dziewiętnasta, trzeba było położyć je spać.

– Wiesz co? Zostanę dziś u ciebie – stwierdziła Agnieszka. – Tomek w delegacji, a ja muszę się napić. Mogę przeprowadzać trudne rozmowy z klientami, ale wybór niani jest zdecydowanie ponad moje siły. Zdecydowanie.

O dziewiętnastej trzydzieści dzieci, ubrane w różowe śpioszki Matyldy, już spały.

Niania znalazła się sama, choć nie od razu. Za to przez zupełny przypadek.

A wszystko przez to, że siostra Patrycji uciekła z domu. Na dodatek z chłopakiem, i to długowłosym, który, wydawałoby się, nie robił nic poza graniem na gitarze. A grał pod oknem Ilonki, bo tak, ku swojej rozpaczy, miała na imię dziewiętnastoletnia siostra Patrycji.

Ilonka była zjawiskowa. Delikatna, eteryczna blondynka z włosami do pasa, o jasnej karnacji i szczupłej sylwetce. Wyglądała jak elf. Ale tylko wyglądała...

Z charakteru przypominała lwa. Panterę. Kozicę górską. I w przeciwieństwie do niań oraz flamingów nie lubiła żyć stadnie. Jedyną osobą, którą do siebie dopuszczała, był jej chłopak Mateusz. No i siostra, ale tylko w razie potrzeby. I właśnie teraz tę potrzebę Ilonka wyraźnie odczuwała.

– Uciekłam – stwierdziła, zadzierając wysoko nos. – Patrycja, ja nie chcę pracować u mamy. Idę na studia.

– Na studia? Jakie? – Siostra przestała kroić chleb. Mąż, Oluś, ona sama, dwoje dzieci, Ilonka, Mateusz... Trochę było tych chętnych na kanapki. – Na studia trzeba zdawać egzaminy.

– Zdam – zdecydowanie stwierdziła Ilonka. – Jeszcze wszystkim pokażę!

Patrycja nie bardzo wiedziała, komu i co Ilonka chce pokazać, ale jeśli jej siostra miała zamiar się dalej edukować, to proszę bardzo.

– Mama nie chce, żebyś szła na studia?

– Nawet chce... Ale nie na ASP...

– Na co?

– Akademia Sztuk Pięknych. Też jesteś przeciwko? – W oczach Ilonki zabłysły ogniki.

– No nie, ale...

– Pati, jeśli zaczniesz mi mówić, że stomatologia, prawo czy ekonomia są fajniejszymi kierunkami, bo po nich łatwiej o pracę, to od ciebie też ucieknę. Nie wiem wprawdzie jeszcze dokąd, ale ucieknę. Może więc lepiej, żebyś tak nie mówiła, co? – Spojrzała na siostrę.

– Rzeczywiście, może lepiej nie... – westchnęła Patrycja. – Boże, ten nie lubi szczypiorku, tamten koperku. A ja muszę to spamiętać... – poskarżyła się.

– Ja wszystko lubię – stwierdziła Ilonka. – I wybrałam zaoczną grafikę. Będę mieszkać w akademiku i poszukam pracy, nie martw się.

– Nawet nie zaczęłam – skłamała Patrycja. – Mieszkać możesz u mnie, możesz w sumie też pomagać w sklepie – wyrwało się jej.

– O! – zawołała zaskoczona Ilonka. – Dorosłam wreszcie?

– Och – żachnęła się Patrycja. – Zresztą może lepiej nie...

– Ja i tak bym nie chciała – powiedziała ze śmiechem Ilonka. – Po to uciekłam z domu, żeby nie pracować w sklepie mamy. I wybacz, sklep to sklep. Dlatego do twojego też nie chcę iść, mimo że asortyment zdecydowanie ciekawszy!

– Ilonko!

– Oj, Ilonko, Ilonko. Ja tam swoje wiem. I na tym poprzestańmy, starsza siostro.

Od: Agata Em
Do: Joanna Kownacka
Pani Joanno, dziękuję za odpowiedź! To bardzo budujące, że ktoś po drugiej stronie czyta jednak te listy motywacyjne. Pyta Pani, co bym chciała robić i co umiem. Powiem szczerze, chcę zmienić swoje życie. Chcę uciec z zabieganej Warszawy i zamieszkać gdzieś indziej... Ciągnie mnie nad morze. Nieco ze względów osobistych...

Od: Joanna Kownacka
Do: Agata Em
Pani Agato, czyżby mężczyzna? ☺

Niania w barwach granatowo-różowych

– Wiesz co? Nie nadaję się do biznesu – stwierdziła Joanka pewnego dnia, gdy siedziała w domu z dwójką dzieci. Kacper akurat wyrywał Matyldzie włosy, a ta w zamian okładała go plastikową łopatką, którą przed chwilą grzebała w doniczce z fikusem.

– Nie reagować – stwierdziła spokojnie Patrycja. – Jeśli się zareaguje, dzieci nie nauczą się samodzielnego rozwiązywania konfliktów. I potem, w dorosłym życiu, mąż będzie bił żonę, licząc, że ktoś się wtrąci. – Wzięła głęboki oddech. – Albo żona męża zresztą. A tak może do tego nie dojdzie.

Niestety, na razie sytuacja przedstawiała się kiepsko. Piasek z doniczki znalazł się w oczach Kacpra, który trzymał w garści dość pokaźną ilość włosów Matyldy. Poziom hałasu przekroczył dopuszczalne normy. Joanna czuła, że dłużej tego nie wytrzyma.

– Zwariuję zaraz! Przez to, że nie mamy niani, pracujemy na zmiany! – syknęła do przyjaciółki. – Co drugi dzień. Raz ja jestem z dzieciakami, raz Aga. I obie czekamy na te dni, kiedy możemy popracować. W pracy możesz iść się wysikać w samotności. W ogóle możesz iść się wysikać, kiedy tylko chcesz. Możesz też sobie kawę zrobić, jeśli masz ochotę. Albo zamknąć na chwilę oczy i mieć dziewięćdziesięciodziewięcioprocentową pewność, że nikt w promieniu dwóch metrów od ciebie nie wyzionie ducha. Normalnie raj!

– Potrzebujesz odpoczynku – orzekła Patrycja, bacznie ją obserwując.

– Potrzebuję tej cholernej niani! – krzyknęła Joanna.

– Wiesz co? Ty się wyśpij, a ja zabiorę dzieciaki do siebie, odbierzesz je wieczorem.

W oczach Joanny zabłysły ogniki.

– Naprawdę?

– Jasne. Odpocznij sobie albo popracuj. Ja zaraz pójdę do szkoły po moje dziewczyny, one się nimi zajmą.

– Mam dla ciebie nianię – wyszeptała Patrycja, gdy Joanna przyszła po Matyldę i Kacpra.

– Nianię? Naprawdę? – zapytała Joanka z nabożnym szacunkiem. – Jak ją znalazłaś? Niania to w tym świecie towar deficytowy.

– Cicho... Wejdź i zobacz.

W salonie Patrycji na całej podłodze była rozłożona folia malarska. Leżały na niej białe duże kartki. Wokół stały pojemniki z farbą, a nieopodal siedziały dwie dziwne istotki. Jedna była różowa w zielone plamy, a druga granatowo-żółta. Ta granatowo-żółta jako żywo przypominała Matyldę. Istotki śmiały się w głos, czule obejmując jakąś młodą dziewczynę.

– Joanna Kownacka. – Joanka wyciągnęła rękę, ale szybko ją schowała, ujrzawszy kolorową dłoń dziewczyny.

– A ja jestem Ilona. – Dziewczyna miała uśmiech niczym gwiazda Hollywood. – Mają talent – stwierdziła. – Naprawdę mają wielki talent. I to oboje! Czy pani widziała te odciski rąk? Co za kompozycja! Te dzieci to prawdziwe źródła inspiracji! – Patrzyła dookoła zafascynowana.

– Źródła inspiracji trzeba teraz umyć – zarządziła Patrycja. – Mimo wszystko powinny wrócić do swoich naturalnych barw.

Dzieciaki pluskały się w wannie, gdy ona opowiadała Joance:

– Bawili się całe popołudnie, a potem zaczęli malować. Joanko, żałuj, że tego nie widziałaś. Ja wiem, że one są grzeczne, ale nigdy aż tak! Ilonka wyciągnęła jakieś farby, porozlewała je w pojemniki i pozwoliła im w nie wła: zić.

– Myślisz, że…

– Tak, myślę, że…

– Ilonko? – zawołała Joanna, wychodząc z łazienki z dwójką umytych i pachnących dzieciaków.

– Tak? – Dziewczyna właśnie kończyła sprzątać pokój.

– Słyszałam, że szukasz pracy… Nie chciałabyś się zajmować tymi oto dziećmi?

„Te oto dzieci" obdarzyły Ilonkę najbardziej promiennym uśmiechem na świecie.

Agnieszka zaakceptowała nianię zaraz po tym, gdy po powrocie do domu Kacper zobaczył straż pożarną, wskazał palcem telefon i oświadczył:

— Jejen, jejen, dwa! Dlyn. Mama.

Agnieszka słusznie uznała, że Ilonka, oprócz zaznajomienia dzieci z kulturą i ze sztuką, nauczy je podstawowych zasad bezpieczeństwa. Nie ryczały, zatem głodne nie były, a że chodziły nieco umorusane? No cóż, za każdym razem przed ponownym oddaniem ich pod opiekę matek Ilonka próbowała doprowadzać dzieci do względnej czystości, ale bez większych sukcesów. Ciastolina we włosach czy ślady flamastrów na całym ciele były zatem na porządku dziennym, jednak młode kobiety interesu nie narzekały wcale. Skoro znalezienie niani graniczyło z cudem, drobne niedogodności należało znosić cierpliwie. Bo jeszcze zdecydowałaby się wyjechać do Londynu, żeby rozlewać piwo w knajpie.

Na szczęście Ilonka miała na miejscu chłopaka i nie planowała nigdzie wyjeżdżać. Mateusz studiował informatykę i był już na czwartym roku. Czuł, że wszyscy najlepsi już wyjechali i zostali sami najsłabsi, a że on do takich się nie zaliczał, w kraju czekało na niego mnóstwo pracy. Z czego też się cieszył i regularnie to wykorzystywał.

Ilonka, której Przemcio i Oluś od dziecka wpajali, że musi być niezależna od swojego mężczyzny, nie korzystała z dochodów Mateusza. Chciała zarabiać własne pieniądze. I bardzo jej pasowało to, że wspólna zabawa z dziećmi, którą tak ubóstwiała, została źródłem zarobku. Tym bardziej że opieka nad dwojgiem całkiem grzecznych maluchów nie była niczym specjalnie trudnym.

– Jak to: gdzie będziecie je przyprowadzać? – zapytała zdumiona Patrycja, gdy zastanawiały się wspólnie z Joanną, jak tę opiekę zorganizować. – Do mnie! Wielki dom, ogródek, piaskownica… Blisko nad morze, a to idealne miejsce na spacery. Ilonka na miejscu, więc po co mają siedzieć w bloku? Przecież kiedy ja będę w domu, też się dzieciakami zajmę. A i ugotuję im coś dobrego. Nie ma mowy, żeby chodziły gdzie indziej!

Dziewczyny prowadziły swoją firmę całkiem sprawnie. Klientów im nie brakowało, brakowało im tylko miejsca do wspólnego działania. Miejsca, do którego wyjdą rano i będą mogły powiedzieć: „Jestem w pracy".

W domu pracowało się nieźle, ale zawsze było jeszcze coś do zrobienia. A to trzeba wstawić pranie, a to powiesić, obiad zrobić, zajrzeć, czy w lodówce nie ma przypadkiem czegoś dobrego… Same pokusy…

Pewnego dnia zadzwonił Przemcio.

– Joanko, wiesz co? My ci pomożemy. Tym bardziej że i tak wozisz już tam dzieci.

– Wożę dzieci? Ależ Przemciu, w czym mi znowu chcecie pomóc? Wy mi nieustannie pomagacie!

– E, takie gadanie. Chcemy ci odstąpić pomieszczenie u nas w domu, z osobnym wejściem.

– Przemciu...

– Tak, Joanko. Ale żebyś nie czuła się z tym źle, zrobimy dokładnie tak jak szanowna pani starsza, świeć, Panie, nad jej duszą. Dasz nam jakiś procent od dochodu. Dogadamy się.

Joanna stała z szeroko otwartymi ustami. Nie wierzyła własnym uszom.

– Ale jak to? – wydusiła z siebie wreszcie.

– Po prostu. Mnie pomogła kiedyś szanowna pani starsza, świeć, Panie, nad jej duszą, teraz ja pomagam tobie, a kiedyś ty komuś pomożesz. To zawsze się zwraca. To się nawet jakoś w biznesie nazywa, tylko zapomniałem jak. Cieszysz się?

– Przemciu! – Joanna nie wiedziała, co odpowiedzieć.

– Możecie się wprowadzać choćby dziś. Jak przyjedziecie po dzieci, przywieźcie już jakieś graty. Oluś właśnie wczoraj skończył malować.

Joance coś się przypomniało.

– Być dobrym człowiekiem, Joanko, wcale nie jest tak trudno – powiedziała kiedyś ciotka Matylda. – Czasem po prostu wystarczy się uśmiechnąć, gdy przechodzisz obok kogoś smutnego. Wiesz, być dobrym, to po prostu mieć oczy i uszy otwarte. Na cały świat. A przede wszystkim na najbliższych. – Zamyśliła się i zaciągnęła papierosem. – Znałam takich, którzy na cele charytatywne dawali sporo pieniędzy, podczas gdy ich dzieci musiały chodzić w dziurawych butach. A to nie o to chodzi. Najpierw rodzina, pamiętaj o tym. Jeżeli twoja rodzina jest szczęśliwa, ty również jesteś. A jeżeli ty jesteś szczęśliwa, chcesz zarazić tym szczęściem cały świat! Pamiętaj o tym!

Ciotka właśnie to potrafiła. Umiała zarażać świat szczęściem. Przygarniała bezdomne koty, żeby zaraz znajdować im opiekunów godnych królewskich persów, a nie zwykłych dachowców. Przygarniała dzieci z podwórka, dla których często w rodzinnym domu brakowało talerza ciepłej zupy. To do niej bracia Kwiatkowscy przychodzili z tabunem kolegów, gdy chciało im się napić herbatki, żeby odpocząć od zabawy. Robiła najlepszą herbatę na świecie. Mimo że słabą, prawie przezroczystą, z łyżeczką cukru. Nigdzie nie smakowała tak jak u Matyldy.

W czasach gdy słodycze były na kartki, zdobywała je w sobie tylko znane sposoby i rozdawała dzieciakom przez okno.

– Mnie to już niepotrzebne – mówiła. – A zresztą jestem bardziej zadowolona, kiedy widzę ich radość, niż gdybym sama zjadła tego cukierka…

Zdaniem ciotki Matyldy przestrzeganie dziesięciu przykazań nie przedstawiało specjalnych problemów. Nie zabijać, nie kraść… Zdaniem ciotki Matyldy bardzo łatwo było być dobrym. Trudniej było po prostu być człowiekiem. Jednakże ci, z którymi podczas całego swojego życia się przyjaźniła, takimi się stawali. I to niezwykle szybko…

– Niewiele mamy tego dobytku – powiedziała Joanna do Agnieszki, gdy weszły do swojego nowego biura. – Pusto tu... – Rozejrzała się po pomieszczeniu.

– Kota wam dam. – Patrycja weszła do pokoju. – Nie będzie pusto. Kot biurowy to jest to! – Roześmiała się. – Tak jak w „piekarni"!

– Kota jeszcze tu nie było. Był za to sąsiad – oświadczyła Agnieszka.

– A, sąsiad. – Pati się uśmiechnęła. – Pan Miecio. I co, chciał pożyczyć kasę?

– No chciał. A skąd wiesz?

– Odkąd się wprowadziliśmy, przychodzi i pożycza pieniądze. Przemcio już nawet wprowadził system. Jeśli dzbanek w przedpokoju stoi po lewej stronie szafki, znaczy, że uregulowane wszystko i można mu pożyczyć, jeśli po prawej, to nie pożyczamy.

Joanka nic z tego nie rozumiała. Faktycznie, trudno było zrozumieć.

Pan Miecio, zwykle z lekka nasączony alkoholem, przyszedł kiedyś do Przemcia pożyczyć dziesięć złotych. Przemcio uczynnie spełnił prośbę. Nie spodziewał się, że następnego dnia sąsiad przyjdzie po kolejne dziesięć złotych. Grzecznie go poinformował, że póki nie ureguluje długu, z kasy nici. Sąsiad uregulował dług jeszcze tego samego wieczoru, jednakże

233

następnego dnia przyszedł i poprosił o dwadzieścia złotych. Przemcio pożyczył mu bez wahania i przesunął dzbanek na prawą stronę. Gdy Miecio kasę oddał, dzbanek został przesunięty na lewo. Odkąd Patrycja z Przemciem zamieszkali w tym domu, obroty Miecia znacznie wzrosły. Pożyczał dziesięć, oddawał, później pożyczał pięćdziesiąt i znikał, aby zaraz znowu oddać. A dzbanek wędrował z lewej na prawą i Patrycja z Przemciem tylko czekali, kiedy pan Miecio przejrzy ich system i zacznie zakradać się w nocy, aby samemu go przestawiać. Oni i tak by się w tym nie połapali.

– A teraz stoi po lewej stronie – zwróciła uwagę Joanka.

– Ha, widzisz? Mogłaś mu pożyczyć – oznajmiła Patrycja. – Pożyczyłaś?

– No pożyczyłam. Chciał tylko dziesięć złotych. To co, przesuwać dzbanek?

– Jasne.

– A co jeśli odda mi pięć? Pośrodku stawiać?

– Tego system nie przewiduje. Dotąd oddawał tyle, ile trzeba. Uczciwy ten nasz pan Miecio. Trochę pije, ale cóż, nie można mieć samych zalet.

– Można! – Do przyszłego biura wszedł Przemcio. – Ja mam same zalety. Podobnie jak mój brat. Jesteśmy mądrzy, piękni i bogaci. Ot co.

Od: Agata Em

Do: Joanna Kownacka

Pani Joanno. Mężczyzna. Tak to w świecie bywa, że pewne kobiety uganiają się za mężczyznami, a nie odwrotnie. I otóż był ktoś taki, niezapominajki zrywał, komplementy prawił. Wyjechał nad morze. I ja chyba za nim chcę wyjechać. Sama nie wiem, czego chcę, ale coś intuicyjnie mi podpowiada, że tam jest moje miejsce. Wierzy Pani w intuicję? Ja wierzę. Będę w poniedziałek na rozmowie kwalifikacyjnej w Gdyni. Może znajdzie Pani chwilę na kawę? Jest Pani pierwszą życzliwą mi osobą w Trójmieście, nie licząc pana od niezapominajek, ale to chyba już przeszłość.

Od: Joanna Kownacka

Do: Agata Em

Pani Agato albo Agato, mogę? Chętnie się z Tobą spotkam, zadzwoń do mnie, jak tylko będziesz po rozmowie! Telefon mój masz ☺

Joanna

Szuranie w biurze, pan Jan i relaksacyjny wpływ podlewania

W biurze ktoś był. Ktoś był i szurał. Joanka zamarła i na wszelki wypadek zaczęła szukać kamienia w ogrodzie.

Chwilę przedtem zostawiła drzwi otwarte i wyszła do sklepu, a w tym czasie najwyraźniej przyszedł złodziej i teraz na pewno rabuje ich dobytek. Marny, bo marny, ale zawsze dobytek. Komputery, a co gorsza projekty i tak zwaną własność intelektualną, której było, zdaniem Joanny, co niemiara!

— Kurczę, gdzie tu jest jakiś kamień? — wyszeptała gniewnie, po czym wyjęła telefon i wybrała numer Agnieszki. — Aga, jesteś w biurze czy już cię zamordował?

— Zamordował? Matko, kto kogo zamordował?! — zawołała przerażona Agnieszka. — U księgowej jestem. Nie zamykałam, bo nie wiedziałam, czy masz klucz.

— Cholera. Ktoś jest w biurze i szura czymś. Nie wiem, czy wchodzić, czy nie. O! — powiedziała nagle, zastygając w bezruchu. — Znowu szura.

— Słuchaj, może nie wchodź? Albo wiesz co? Idź, ale się nie rozłączaj. Masz kij?

— Kamień mam, właśnie udało mi się znaleźć. To idę.

Joanka weszła do domu z sercem gdzieś w okolicy krtani. Zobaczyła ciemną sylwetkę, dość mocno się chwiejącą, szurającą dzbanem to w lewo, to w prawo, i co chwilę mamroczącą coś niezbyt zrozumiałego.

— To miało byśpolewej? Szypoprawej? Lewaszyprawa?

— Pan Miecio? — zapytała zdziwiona Joanka. Serce natychmiast wróciło na właściwe miejsce.

— Pan Miesio. We własnej osobie — przytaknął sąsiad. — I pan Miesio nie wie. Szymiałobyć to polewejszypoprawej.

— Panie Mieciu, niech pan usiądzie — zaproponowała Joanna, widząc, że jeżeli tego nie zaproponuje, pan Miecio tak czy siak to zrobi, rozbijając sobie przy okazji głowę.

— Z przyjemnością. — Miecio odetchnął z ulgą, po czym osunął się na kanapę. — Ja usiądę, a pani to przesunie. — Wskazał na dzbanek.

— A po co? — zdziwiła się Joanka.

— Oddałem kasę. Na biurku położyłem, bo żywego ducha nie ma w domu — mówił Miecio coraz bardziej trzeźwym głosem. — Jak się oddaje kasę, to się szura. Ale za cholerę nie mogę sobie przypomnieć, w którą stronę. Wiem tylko, że się szura.

— Na lewo — szepnęła Joanka, nadal trzymając wielki kamień w ręku. — Chyba na lewo... Z tego wszystkiego już mi się pomerdało...

— A co panienka z tym kamieniem ma zamiar robić? — zaniepokoił się i na wszelki wypadek zasłonił się ramieniem.

– Bić Miecia? Przecież ja nie chciałem zrobić nic złego, tylko pieniążki oddać i szurnąć dzbankiem we właściwą stronę.

– A to pan wie o szuraniu?

– No wiem, głupi nie jestem. A że uczciwy Miecio ze mnie, chciałem, aby wszystko było jak należy. I pieniążki na stole, i szurnięty dzbanek. Wszystko jak należy. Na Mieciu zawsze można polegać.

– Wszystko jak należy. Aha – powtórzyła zdezorientowana Joanka.

– No to na lewo miałem szurać czy na prawo? Może pani lepiej sobie zapisze, czy oddałem, czy nie. – Wskazał notatnik leżący na biurku. – Dajmy spokój z tym szuraniem. Tymczasem lecę. – Całkiem zwinnie poderwał się z kanapy, po czym znowu usiadł. – To wiosenne przemęczenie – usprawiedliwił się. – A jeden taki przyjdzie do pani... Chyba przyjdzie. Bo reklamy potrzebuje. Mogę dać mu adres?

– Jasne... – Joanna niepewnie wyciągnęła wizytówkę; wreszcie je sobie sprawiły.

– Robię u niego w ogródku – oświadczył pan Miecio. – Ale co on ma tam za ogródek! Sama trawa. – Wzruszył ramionami – Trawa to nic. Pani powinna pomidorki mieć. Chociaż te małe, koktajlowe. Dać sadzonki?

– Broń Boże, panie Mieciu! Nie cierpię grzebać w ziemi – obruszyła się Joanna.

– A to taka odprężająca robota... Popodlewałaby pani trochę, od razu ten stres z twarzyczki by zszedł.

– Do widzenia, panie Mieciu – stanowczo powiedziała Joanna. – Muszę się zabrać do pracy.

„Stres z twarzyczki, phi!" – dodała w duchu.

– Do widzenia. A ten od reklamy nazywa się Jan. Jak mój ojciec. Ziętara. Ten od reklamy i ogrodu, w którym robię. – Napotkał wzrok Joanki. – No dobra, dobra, już idę. Do widzenia. Ale pomidorki to pani przyniosę.

Gdy Miecio wyszedł, Joanna postawiła wazon na środku, usiadła przy biurku i wreszcie zaczęła pracować. Zupełnie zapomniała o Janie, u którego Miecio robił w ogródku, i o podlewaniu, które niby niweluje stresy z twarzyczki...

– Cholera mnie weźmie! – krzyczała kilka dni później Joanka do Agnieszki już od samego progu. – Najpierw chcą mieć sopockie wizytówki, a potem wydziwiają i marudzą!

– Nie podobało im się?

– Ani trochę. Stwierdzili, że – cytuję – nie są pieprzonymi kuracjuszami ani cherlawymi facecikami, żeby mieć wizytówki z wieżą domu zdrojowego. I mnie wywalili.

Agnieszka spojrzała na przyjaciółkę wymownie.

– Wiesz, po tym, jak kazali przed Wielkanocą „doseksić" zajączka na kartce świątecznej, wszystkiego można się było po nich spodziewać.

– Owszem. Boże, jaka jestem zła!

– Idź na spacer.

– Idę.

Joanna wyszła z biura. Na zewnątrz stał pan Miecio i podlewał ogródek. Widocznie Przemcio też poprosił sąsiada, by u niego „robił".

– Zły dzień? – zapytał, wyjątkowo trzeźwy.

Joanna nie była w nastroju do rozmów. Spojrzała na niego spode łba.

– Oj, zły dzień – powtórzył Miecio. – Podlewa. – Wyciągnął węża w jej stronę. – Niech pani podlewa. Zobaczy, jak to odpręża.

Joanna nie miała najmniejszej ochoty na podlewanie czegokolwiek, ale Miecio wcisnął jej węża w dłoń.

Zaczęła podlewać.

Podlewać.

I podlewać.

Wraz z każdą kroplą spływał z niej stres. Woda szumiała i się lała, a ona czuła się lepiej i twarz jej coraz bardziej się rozjaśniała.

– I co? – zapytał z uśmiechem pan Miecio. – Fajnie? To ja może jednak dam te nasionka pomidorków? Pomogę je wysadzić!

Joanna nie myślała o żadnych nasionkach. Nie myślała o niczym. Z pierwszymi kroplami odpłynęli „pieprzeni kuracjusze", następnie Ivalo z Piotrem, potem matczyne wyrzuty sumienia, że zamiast zajmować się dzieckiem, wybrała karierę zawodową. Miecio patrzył na nią jak oczarowany.

– Ja nie wiedziałem, że pani jest taka piękna – wyszeptał.

Joanka nie usłyszała tych słów. Nie usłyszała też pana Janka, który właśnie otworzył bramkę i szedł w jej kierunku. Stanął obok niej i zaczął się jej przyglądać.

– Ciii – szepnął pan Miecio. – Dziewczynie to jest potrzebne. Problemy ma.

– Problemy ma? – zdziwił się Jan. – Mogę jakoś pomóc?

– Na razie pan jej nie przeszkadza podlewać – rzekł cicho Miecio. – Uczone toto, książki czyta, do szkół chodziło, ciągle gazety przegląda i na telefonie wisi, a nie wie, że kontakt z przyrodą to najlepsze lekarstwo na wszystko. Wie pan, teraz ludzie do lekarzy od głowy latają. A czasem wystarczy popodlewać. No, naprawdę dam jej te pomidory.

– A ja też mógłbym dostać trochę? – zapytał nieprzytomnie Jan. Po nim też spływało, a raczej wpływało do jego wnętrza to, co widział, czyli Joankę z rozwianym włosem, na mokrym trawniku.

– Jasne. Przygotuję coś. Posadzę.

– Panie Mieciu! – Joanka wróciła wreszcie do świata żywych. – Ja chciałabym zioła. Bazylię, oregano, miętę...

– Lubczyk – dodał Janek.

Spojrzała na niego pytająco.

– To Jan – wyjaśnił Miecio. – Ziętara. Ten od reklamy. Co u niego w ogródku robię.

– Dzień dobry. – Joanka wytarła ręce w spodnie. – Podlewałam. – Uśmiechnęła się. – Pierwszy raz podlewałam. I powiem panu, że nie wiem, dlaczego nie robiłam tego wcześniej. Zapraszam do biura. Napijemy się kawy, porozmawiamy o tej reklamie.

Jan Ziętara był właścicielem dobrze prosperującej firmy informatycznej. I jak każdy właściciel rozwiniętej firmy chciał, by prosperowała ona jeszcze lepiej. Do tej pory był zewnętrznym działem IT jednej z wielkich korporacji w Trójmieście, ale czuł, że nadchodzi czas, by zmierzyć się z innymi wyzwaniami, zdobyć kilku nowych klientów i zadbać o sprzedaż oraz marketing.

Nie znał się na tym kompletnie, do tej pory cały marketing jego firmy to były jakieś naprędce drukowane wizytówki, tak mało reprezentacyjne, że rozdawał je tylko w ostateczności. Stwierdził wreszcie, że w dobie tak drapieżnej konkurencji nie ma wyjścia i musi zadbać przynajmniej o stronę internetową, bo to przecież wstyd, żeby firma informatyczna jej nie miała. Już od dobrych kilku lat opatrzona była hasłem „Under construction".

– Pani Joanno – powiedział, popijając czarną kawę bez cukru. – Zacznijmy może od strony internetowej, a potem dopracuje się resztę.

– A nie lepiej odwrotnie? Najpierw opracować strategię, a potem po kolei jej elementy? Bo pan chciałby tak trochę od końca...

– Od końca?

– Mam propozycję. Spotkajmy się u pana w biurze, porozmawiamy o szczegółach. Proszę się spokojnie zastanowić, co jest panu potrzebne, a z czego możemy zrezygnować. W tym momencie Jan Ziętara nie chciał z niczego zrezygnować. Wszystko wydawało mu się potrzebne i marzył, by rozmawiali o tym jak najdłużej. Na początku był sceptyczny, gdy pan Miecio powiedział, że zna taką jedną od reklam, ale z drugiej strony na Mieciu w życiu się jeszcze nie zawiódł. Ani na osobach przez niego polecanych. Hydraulik wymienił spłuczkę ekspresowo, stolarz zrobił szafę dokładnie taką, jaką Jan zamówił, ekipa remontowa przykleiła kafelki... Wszystko było jak należy. To dlaczego „taka jedna od reklam" nie miałaby się sprawdzić?

Na dodatek tak ładnie wyglądała, gdy podlewała ten ogród. Może sam by coś popodlewał? Najchętniej z nią.

Gdy dotarł do domu, wyciągnął z komórki wąż do podlewania. Słońce już stało nisko, uznał, że może spróbować. Kiedy jeszcze żyła jego żona, podlewał czasem u teściów. Potem żona zmarła na raka i został sam z synem. W pewnym momencie firma zaczęła się rozwijać i przestali się mieścić w kawalerce na Przymorzu. A zresztą, jak to ludzie mówili, panu prezesowi nie wypadało. Co nie wypadało? Mieszkać w przecudnym mieszkanku, tuż obok Zielonego Rynku? Co sobotę chodzić z synem po świeże warzywa i pachnące owoce oraz jajka prosto od hodowcy? Każdego lata kupować kilogramy ogórków i potem zamykać je w słoiki z pachnącym koprem, czosnkiem i chrzanem? Wiadomo, wszystko można kupić, ale to już nie to samo.

Kawalerkę wynajął – w przyszłości będzie dla Bartka, który miał dziś piętnaście lat. Zamieszkali w domku w starej Oliwie i bardzo to sobie chwalili. I tam właśnie była trawa, przy której „robił" pan Miecio.

Jan rozwinął węża ogrodowego. Odkręcił kran i puścił wodę. Podlewanie było fajne, ale żeby aż tak? Chyba zostawi tę czynność Joannie. I pomidory. Chociaż nie, pomidory mógłby mieć. A ona chciała zioła. W sumie mógłby pojechać i je kupić. Jutro spotkanie ze Szwedami i z prezesem korporacji, pojutrze lunch z przyjacielem ze studiów. W interesach, a jakże. W czwartek pojedzie, kupi miętę i bazylię. Mięta przyda się do mohito, bazylia do sałatek. Zapowiada się ciekawe lato. Niebo jest takie piękne. Trawa taka zielona…

Im dłużej Jan Ziętara podlewał, tym bardziej oczyszczał się ze zmartwień. Jeszcze trochę i Miecio zostanie bezrobotny! Na szczęście Miecio szykował już w osobnych skrzynkach sadzonki pomidorów, przy których, jak wiadomo, jest dużo roboty.

„Zapowiada się pracowite lato" — pomyślał pan Miecio, wkładając ostatnie nasionka i przysypując je ziemią. Już zakasywał rękawy. Było mu obojętne, czy dany ogródek należy do Jana Ziętary, czy do Przemka Kwiatkowskiego. Wiedział tylko, że dach w domu trzeba naprawić, a dzieciaki też mają swoje potrzeby. Wnuk niedługo mu się urodzi. Pieniądze się przydadzą w każdej ilości...

Uśmiechnął się i zaczął przygotowywać kolejną skrzynkę pomidorowych sadzonek. „Pani Joanna powinna jeszcze posadzić rzodkiewkę, koperek, szczypiorek, sałatę... – pomyślał.

– Na pewno dadzą jej trochę ziemi, pan Przemcio nie ma na to czasu przez ten podejrzany sklep". Miecio, co prawda, nie wnikał, ale ludzie w spożywczym coś mówili. Z drugiej strony pan Przemcio chodził do kościoła, w domu wisiały zdjęcia z komunii córek, więc mimo wszystko musiał być poczciwy. Pani Patrycja też fajna kobieta. A jej szarlotka nie miała sobie równych! Nawet jego Trudzia takiej nie piekła. A przecież wiele rzeczy robiła najlepiej na świecie. A już jej pomidorówka... Ze swojskim makaronem... Mniam... Tak, pomidorówka Trudzi nie miała sobie równych.

Miecio zapakował w samochód dwie skrzynki z sadzonkami i wyruszył do Oliwy. Wypadałoby podlać trawę u Ziętary. I przy okazji pomidorki podrzucić. Może nawet samemu posadzić?

– Dobry wieczór! – krzyknął przez płot. – Panie Janku, a co to, pan podlewa? Co się stało?

– Dobry wieczór, panie Mieciu. Tak jak przyszedłem, stoję i podlewam. Nawet nie zdążyłem się przebrać. To rzeczywiście nastraja pozytywnie. – Uśmiechnął się. – A co pan tam niesie, panie Mieciu? Pomidorki?

– Tak, pomidorki! Sam będzie je pan podlewał?

– Jasne. Podlewanie to zajęcie dla mnie. – Zamyślił się na chwilę. – A gdzie ja dostanę zioła?

– Tato! – Przez bramkę wszedł wysoki nastolatek. – O co ty pana Miecia pytasz? – rzekł z wyrzutem.

– No, o zioła!

– O zioła? – Bartek był zdezorientowany. – Ale zioło musi mieć specyficzne warunki. Jasno, ciepło, musisz mieć lampy. Chociaż mówią, że w ogródkach też się da…

– Bartek! – Jan zmarszczył brwi. – O czym ty mówisz?

– A ty o czym? O tym samym przecież. O ziole, tak?

– Bartek… Chyba musimy porozmawiać. Mówimy o zupełnie innych ziołach. I naprawdę wolałbym nie usłyszeć, że ty wiesz, jak się uprawia marihuanę.

– Oj, tata, czy ja nie mam internetu? I kolegów nie mam? Myślisz, że mało razy mnie pytali, czy ojciec do ogrodu zagląda? Ale pan Mietek nad wszystkim czuwa. Raz mi nawet przynieśli do pokoju sadzonki. Mówili, że co to było, panie Mieciu?

– A, już nie wiem, Bartuś. Zdaje się, że jakieś uprawy na biologię.

– No właśnie. – Bartek wzruszył ramionami.

– Na czym, jak na czym, ale na roślinkach się znam. Jakby pan Jan mi maryśkę kazał pielęgnować, robiłbym to i byłaby taka piękna, że ho, ho. Ale nie jak banda chłystków przynosi mi sadzonki w pojemnikach po serku waniliowym i kłamie w żywe oczy, że to uprawy na biologię! Co oni myśleli, że stary Miecio zioła nie widział?

– A Miecio widział. – Bartek zarechotał. – I ich wywalił. Zwiewali, aż się za nimi kurzyło. Nie wiem do tej pory, co takiego pan Miecio im powiedział, ale już dawno nie widziałem ich z trawą. Po trawie też nie.

Jan podrapał się po głowie. Nie miał pojęcia, co powinien zrobić. Zabronić, to pójdzie i na złość się napali. Pozwolić, też pójdzie się napalić, jeszcze bardziej. Bycie ojcem okazywało się zdecydowanie trudniejsze niż zarządzanie firmą IT.

– No i co ja mam ci powiedzieć, synu? – Spojrzał na niego bezradnie.

Bartek wzruszył ramionami.

– Tato, jeśli chcesz, możesz mi wygłosić kazanie na temat szkodliwości narkotyków. Możesz mnie jeszcze zaprowadzić do psychologa albo kupić mi jakiś poradnik. Czy do tej pory miałeś do mnie zaufanie?

– Jasne, że tak…

– No to niech tak dalej będzie. A ja nic durnego nie zrobię.

Jan nic nie odpowiedział. Chwilę się zastanawiał, czy „nic durnego" w pojęciu czterdziestoletniego mężczyzny jest tym samym w pojęciu piętnastoletniego chłopaka, ale zachował wątpliwości dla siebie. Zamiast tego zapytał:

– Będziesz doglądać tych pomidorów?

– Dobrze. Nie mam nic innego do roboty. Tato, a może byśmy coś jeszcze posiali? Jakieś rzodkiewki albo coś…

– Albo zioło? – Jan się uśmiechnął.

– Eeee, zioło nie.

Jan ucieszył się, że ma tak odpowiedzialnego syna. Odpowiedzialny syn kontynuował:

– Przecież pan Miecio znowu by wywalił. Szkoda zioła.

Jan westchnął.

– Dbaj, synku, o te pomidory. I nie myśl za dużo o ziołach, bo będziesz musiał przekopać z Mieciem ogródek.

Miecio się uśmiechnął. Podparł się pod boki i po raz kolejny w swoim wcale nie tak krótkim życiu stwierdził, że ogród jest dobry na wszystko. I wzmacnia relacje rodzinne.

Już Tuwim przecież wiedział, że rzepkę najlepiej wyciągać z całą rodziną. Pewnie sadzić również. O ziole nie wspomniał…

Joanna była zadowolona, że Matylda przebywa tak blisko. Ilonka okazała się bardzo oddaną nianią. Dzieciaki rosły jak na drożdżach, mimo że czasem dla Ilonki ważniejsze było, żeby się dobrze bawiły, niż jadły. Po kryjomu dokształcała się z pedagogiki dziecięcej i nawet zdarzały się chwile, wprawdzie niezbyt często, kiedy zastanawiała się, czy ASP to był dobry pomysł. Chłopak Ilonki na szczęście też lubił dzieci, więc czasem chodzili razem z nimi na basen. Na początku przyprawiało to biedne matki o palpitacje serca, ale szybko zaakceptowały pomysł i dołączały do nich, kiedy tylko mogły. Biuro w miejscu, gdzie przebywa własne dziecko, miało też wady. Nieliczne, ale miało. Każdy płacz z drugiej części domu dekoncentrował dziewczyny, ich myśli krążyły wokół Matyldy i Kacpra, a czasem nawet młode matki zrywały się, by sprawdzić, co się dzieje. Najczęściej nie działo się nic, po prostu maluchy miały swoje humory, które Ilonka sprawnie eliminowała.

Czas upływał bardzo szybko i nim się wszyscy spostrzegli, od urodzin małej Matyldy i śmierci ciotki Matyldy minął rok.

– Joanko, rozmawiałam z Patrycją – powiedziała kiedyś Ilonka. – Może urodziny Matyldy urządzimy tutaj? Wprawdzie ogród nie jest jeszcze gotowy, ale my też chcemy świętować z wami!

Joanka była zaskoczona. Do tej pory planowała urodziny w ich mieszkanku, w myślach już wielokrotnie rozsadzała tam licznych gości i wciąż brakowało jej miejsca. No bo Oluś i Przemcio, Patrycja, Pola i Pelasia, Agnieszka z mężem i Kacprem i pewnie jeszcze wiele osób, które chciałyby świętować pierwsze urodziny małej. Joanna starała się nie myśleć, co jeszcze wydarzyło się tego dnia, kiedy Matylda przyszła na świat. Ciotka nie lubiła się smucić…

– Ja nie rozumiem tego płakania przy grobach – stwierdziła kiedyś. Stały przy grobie jej męża i rozmawiały. – Przecież człowiek powinien się cieszyć, że wreszcie jest bliżej Boga. I że ma tak zwany święty spokój. No bo gdzie święty spokój mieć, jak nie w niebie? – Zamyśliła się. – Tadek najbardziej cenił sobie święty spokój. A że był dobrym człowiekiem, na pewno go zaznał. Jak to w niebie.

– Ciociu, ale przecież to smutne, że kogoś nie ma. Że ktoś odszedł na zawsze. To normalne, że się tęskni.

– Eee, kochana, jak to odszedł? Po prostu się zdematerializował. Innymi słowy stara skóra mu się zużyła i musiał wykombinować coś nowego. Jak można zwinnie skakać w tiulowych koronkach? Ja w niebie wolałabym w welurowym dresiku. Myślisz, że mają tam dresiki? Tadeusz też je lubił. Najbardziej taki granatowy, który zawsze wkładał wieczorem. Na początku tylko chadzał w koszuli i w spodniach na kant, ale potem mu powiedziałam, że to bez sensu. W pewnym wieku wygląda się jak stara lampucera, niezależnie od ubrania.

– Ależ ciociu! – niemalże krzyknęła zbulwersowana Joanka.

– Wiem, co mówię. Lampucera. No, ale zawsze można być ładną lampucerą albo brzydką. Ja wolę to pierwsze. Wracając do tematu, czy ty wierzysz, że ja mogłabym ot tak sobie gdzieś pójść, wyjechać i nie wiedzieć, co się dzieje? Nawet jeżeli to miałoby być niebo, musiałabym mieć z tobą kontakt. Może nie namacalny – roześmiała się – lecz duchowy. Więc jak umrę, nie waż się płakać. A w rocznicę wydaj przyjęcie, na którym będziesz się cieszyć i świętować. Jasne, przyjdź na grób, ale nie rycz. To całkiem bez sensu. Przecież dobry Bóg nie wymyśliłby nieba, żeby źle nam się tam działo, prawda? Więc będę w najlepszych rękach. No i z Tadkiem. Stęskniłam się za nim. I w sumie chciałabym już niedługo do niego dołączyć... Obiecujesz, że nie będziesz płakać?

– Ciociu... Myślisz, że to tak łatwo?

– Łatwo, kochana, łatwo. – Matylda się uśmiechnęła. – Zobacz, znowu ktoś przyniósł Tadkowi cmentarne kwiaty. Wściekłby się. On w ogóle nie przywiązywał wagi do kwiatów, a tutaj jakiś wiecheć... Pamiętaj, Joanko, ja też nie chcę takich wiechci.

Joanka to wszystko pamiętała, ale wraz z nadchodzącymi urodzinami córki naprawdę bardzo starała się nie myśleć o rocznicy śmierci ciotki.

Tego ranka zapakowała Matyldę do wózka, kupiła bukiet białych róż i pojechała na cmentarz.

– Jestem. I nie płaczę, widzisz? – powiedziała na głos. – Brakuje mi ciebie, ale ty jak zawsze znalazłaś rozwiązanie. Miałaś rację, w przyrodzie nic nie ginie. Nawet liczba Matyld musi się zgadzać. Kocham was obie, wiesz? – zwróciła się do córki. – To już rok, ciociu. Ciężki rok. Ale bardzo dojrzałam i tyle rzeczy chciałabym ci opowiedzieć. Po prostu opowiem, dobrze?

Mała Matylda zaczęła marudzić.

– Niech tylko Matylda zaśnie, to pogadamy... – Wzięła małą na ręce i zaczęła jej śpiewać kołysankę.

Ciotka Matylda się uśmiechała, wiatr szeleścił liśćmi na drzewach. Gdy dziewczynka zasnęła, Joanna zaczęła opowiadać to, o czym Matylda i tak wiedziała...

Urodziny w ogrodzie Przemciów były niezapomnianym przeżyciem. I dla Joanki, i dla Matyldy. Mała się chichrała, co rusz ktoś inny brał ją w ramiona. Jej matka czuła się szczęśliwa.

„Patrz, ciociu – pomyślała, patrząc w niebo – chciałaś, by było przyjęcie, i jest. Teraz już co roku będziemy robić imprezy". Uśmiechnęła się, spuściła wzrok i zobaczyła męską sylwetkę w furtce. Mężczyzna taszczył pokaźny karton.

– Dzień dobry! – zawołał Jan Ziętara, po czym rozejrzał się po twarzach osób siedzących w ogrodzie. – Ja chyba nie w porę... – Postawił karton na trawie.

– Ależ skąd! – odpowiedziała Joanna. – Pan Jan – przedstawiła gościa. – Współpracujemy. A to Matylda, bohaterka dzisiejszego dnia. Moja córka – dodała. Mała obdarzyła Jana uśmiechem swojej mamy.

Jan przywitał się z każdym po kolei.

– Nie wiedziałem, że pani ma córkę. Wszystkiego najlepszego, Matyldo. – Pogłaskał dziewczynkę po brzuszku. – Ja chciałem tylko przynieść zioła. – Otworzył karton z sadzonkami. – Mięta, bazylia, oregano, melisa... Melisa dla małej będzie dobra. – Wręczył karton Olusiowi, który siedział najbliżej. – To ja znikam.

– Panie Janie, niech pan siada. – Patrycja niemalże siłą usadziła go na krześle. – Mamy dwa torty, czekoladowy i truskawkowy, musi pan nam pomóc je zjeść. Nie mogą się zmarnować!

– Nie zmarnują się, nie zmarnują – oświadczył Oluś. – Ale oczywiście zapraszamy. Tylko czy w pana samochodzie ktoś nie siedzi?

– O Boże, Bartuś! – zawołał Ziętara i zerwał się na równe nogi. – Bartuś, mój syn! Mogę go przyprowadzić, prawda?

Joanka kiwnęła głową, lekko zdziwiona, że mężczyzna zostawił małe dziecko samo w aucie. Po chwili zobaczyła dwumetrowego chudzielca i zachichotała.

– Bartuś, mój syn – dumnie oświadczył Jan.

– Bartosz – poprawił go chłopak.

– Niech ci będzie, synu. – Klepnął go po plecach. – To my poprosimy o czekoladowy. Po dużym kawałku, jeśli można.

Joanna z uśmiechem nałożyła gościom wielkie porcje, uważając przy tym, żeby się nie narazić na gniew Przemcia i Olusia. Torty Joanki były pieczone na specjalne okazje i nieważne, ile by ich upiekła, zawsze było za mało. Bracia ich nie kosztowali, nie spożywali, nawet nie jedli. Oni je po prostu pochłaniali. I każdy intruz, który czyhał na kolejny kawałek tortu, stanowił potencjalne zagrożenie. Nawet jeżeli był tak sympatyczny jak Jan Ziętara.

Telefon komórkowy Joanki dzwonił. Oluś przeczytał na wyświetlaczu: „Piotr". Spojrzał na roześmianą Joankę, zasłuchaną w to, co mówił ich nowy znajomy, na Matyldę, której Bartek akurat robił zjeżdżalnię ze swoich długich nóg, i wcisnął „Odrzuć".

— Miałeś swoje pięć minut, kochanieńki — wysyczał. — Było, minęło. *Hasta la vista, baby.* — Wyciszył telefon i z poczuciem dobrze spełnionego obowiązku poszedł ukroić sobie kolejny kawałek tortu czekoladowego.

> Od: Agata Em
> Do: Joanna Kownacka
> Joanno! Mam tę pracę! Teraz wracam już do Warszawy. Było późno, więc się nie odzywałam. Zobaczymy się następnym razem, czyli już niedługo. Zaczynam od przyszłego poniedziałku. O Boże, jak się cieszę! Tylko nie wiem jeszcze, gdzie będę mieszkać ☺
> Agata

> Od: Joanna Kownacka
> Do: Agata Em
> Gratulacje! Wiedziałam, że ci się uda! Do zobaczenia! Jeśli nie znajdziesz mieszkania, daj znać, pomyślimy!
> Joanna

Strategia strategią, ale preteksty trzeba mieć

— Ile jeszcze razy on ma zamiar przyłazić z tymi projektami? — Agnieszka była nieźle wkurzona.

— Chce, żeby było jak najlepiej... — Joanka próbowała bronić Jana.

— Ja rozumiem, ale może po prostu my mu nie odpowiadamy? Może powinien zmienić agencję? Przecież przedstawiamy mu już siedemnaste logo! Ile można? A on, zamiast kontaktować się z nami mailowo, cały czas tu przesiaduje. Szuka towarzystwa czy co? Niech dzwoni do telefonu zaufania, jeśli chce pogadać! — Agnieszka gniewnie tupnęła. — Albo niech się zacznie czepiać twoich tekstów!

— No, ale przecież płaci... Pięć dych za każdą zmianę. Nie możemy narzekać. — Joanna naprawdę lubiła Jana Ziętarę, chyba głównie za zioła, które pachniały na kilometr.

— Płaci, jasne! Jak się wnerwiłam po piątym razie, to mu to zaproponowałaś. — Wzięła torebkę i wstała z fotela. — Wychodzę, a ty ustalaj z nim szczegóły. Ja już więcej nic nie wymyślę. Następną propozycję logotypu ty przygotowujesz.

— Ale ja nie potrafię rysować! — zaprotestowała Joanna.

– Właśnie dlatego – oznajmiła stanowczo Agnieszka. – Dla tego pana ja będę pisać, a ty robić grafikę. Może wtedy mu się coś spodoba.

Janowi było żal tej biednej Agnieszki, nad którą pastwił się od miesiąca. Niemal codziennie odwiedzał biuro dziewczyn pod byle pretekstem, żeby zobaczyć Joannę. Chociażby na piętnaście minut. Na początku przychodził z sadzonkami, niby do gospodarzy, a potem, gdy się dowiedział, że Joanka dostała od Patrycji i Przemcia kawałek ogrodu do wyłącznej dyspozycji, zaczął przynosić nawozy i przerzedzać rzodkiewki, bo za gęsto rosły. Dzięki temu ogródek Joanki szybko stał się tak wypielęgnowany, że były coraz większe problemy z wymyślaniem nowych pretekstów.

W sumie pewnie nie powinien tak często odwiedzać mężatki. Ale przecież był tylko klientem agencji reklamowej. Chciał nowy logotyp, stronę internetową i ulotki. Bardzo mu zależało, żeby rozreklamować swoją firmę, co wymagało częstych konsultacji z Joanną. Co najmniej kilka razy w tygodniu, a na początek może nawet codziennie… Nie wszystko dało się załatwić mailem czy przez telefon. I doprawdy, Janowi Ziętarze nie chodziło o subtelne muśnięcia dłoni czy uśmiech Joanny. Albo delikatne strzepywanie niewidocznych pyłków z jej ramienia…

Piotr pogodził się z losem. Doszedł do wniosku, że morze zawsze będzie mu wierne, a on będzie wierny jemu. To było lepsze niż kobieta. Jedne kobiety chcą mieć dzieci, inne nie, nie można się połapać z tymi babami. Niby czeka na ciebie, ale jak przyjdzie co do czego, to mówi, żebyś spadał. A przecież nie da się żyć bez morza, bez badań, bez nadziei, że a nuż tym razem znajdzie się to, o czym napiszą we wszystkich gazetach świata. Tak bardzo by chciał, by jego nazwiskiem nazywano różne instytuty badawcze...

Instytut Piotra Kownackiego. Brzmi dumnie.

Tak jak kobiety zwykle szczyciły się dziećmi, tak naukowcy – odkryciami. U Piotra z tym ostatnim było krucho. Czuł, że życie prywatne nie idzie jednak w parze z zawodem badacza. A on najbardziej sobie cenił święty spokój. Jasne, fajnie przekazać komuś swoje geny, ale bez przesady. I już się przyzwyczaił do tej myśli.

Na początku był przekonany, że połączenie jego genów z genami Ivalo przyniesie ludzkości geniusza. I wyłącznie tak postrzegał to dziecko. Jako przyszłego niesamowitego odkrywcę. Może nawet noblistę? Niestety, Ivalo nie podzielała jego entuzjazmu. Chyba uważała, że jeden geniusz, czyli ona, w zupełności wystarczy. Nie zależało jej na tym, żeby wydać na świat kolejnego inteligenta.

I może miała rację.

Piotr wzruszył ramionami. Musiał się pozbyć ze swojego życia wszystkiego, co mu przeszkadzało w pracy. Ivalo również. Od czasu ciąży bardzo się zmieniła. Jakby nagle zauważyła, że jest kobietą, i jakby jej się to zupełnie nie spodobało. Obcięła włosy, zaczęła się ubierać jak facet. Może i dobrze? Przynajmniej go nie kusiła i nie rozpraszała tak jak wcześniej.

Odciąć się od wszystkiego. Od mieszkania, od rodziny. Na swój sposób kochał Matyldę, ale miłość na odległość również mu wystarczała.

Podczas ostatniego pobytu w Polsce udał się do adwokata, żeby wnieść sprawę o rozwód.

– Nie chce mnie już – oświadczył. – A ja nie mam czasu na żonę. Nie mam warunków.

– Warunków? – zapytał adwokat. – To znaczy pieniędzy?

– Nie, pieniądze mam. Nie mam czasu ani ochoty, poza tym ciągle mnie nie ma…

Adwokat nic nie rozumiał.

– No dobrze, to ja zacznę od początku. – Piotr rozsiadł się na skórzanym fotelu, takim, jakie zdobią każdą kancelarię. – Byliśmy małżeństwem i ją zdradziłem. Ivalo zaszła w ciążę.

– Czy zdaje pan sobie sprawę, że pańska żona będzie chciała rozwodu z orzeczeniem o pana winie?

– Oczywiście.

– No nic. Będziemy walczyć. – Adwokat się zamyślił.

– Nie. Przecież to była moja wina – oświadczył zupełnie niespodziewanie Piotr. – Po co kłamać, kręcić? Ja ją naprawdę zdradziłem i nie dziwię się, że jest wściekła.

– Ależ ona może pana oskubać! Mieszkanie jest czyje?

– Niby wspólne. Płaciliśmy głównie jej pieniędzmi. Ale to nieistotne. Chciałbym je jej zostawić. Samochód też. Ja i tak rzadko bywam na lądzie.

Adwokat był zdezorientowany. Facet przyszedł się rozwieść, na dodatek twierdzi, że jest winny i zwisa mu, kto dostanie majątek. Cóż... Idioci się zdarzają na tym świecie. W takim razie do czego on mu był potrzebny?

– Bo wie pan? Ja po prostu potrzebuję wreszcie spokoju. Chcę odpocząć, również od tych bab.

Adwokat miał w domu cztery kobiety, żonę i trzy córki. Mimo że bardzo je wszystkie kochał, czasem również marzył, aby odpocząć „od tych bab". Ale cóż, nie mógł sobie pozwolić na wyprawę badawczą na sam czubek świata. Poza tym wcale nie miał na to ochoty. Bardzo sobie cenił ciepłe kapcie i niepisaną umowę, że rosół w niedzielę będzie mu podtykany pod sam nos, jeżeli w sobotę zje z żoną romantyczny obiad w restauracji. Tak to się kręciło od kilkunastu lat i wszyscy byli zadowoleni.

Z całą pewnością nie oddałby ciepłego rosołku z marchewką i kurczaczkiem za zimną Grenlandię czy Antarktydę. Brrr.

– Słuchaj – powiedziała Joanka do Jana podczas wyrywania co dorodniejszych główek sałaty. Uparła się, że Matylda musi jeść ekologiczne warzywa, i z zapałem je sadziła, a Jan ochoczo jej w tym pomagał. Kilka chwil temu przeszli na „ty".

– Te zrobione przez Agnieszkę logotypy naprawdę tak bardzo ci się nie podobają? Bo wiesz... Ona się stara i stara, ale jakoś nie możecie dojść do porozumienia.

– Ależ wszystkie projekty mi się podobają!

– To o co chodzi?

– Po prostu chciałem wybrać najlepszy. Ostatni już mnie zadowala – odparł szybko i dodał: – A więc możemy przejść do tekstów.

Joanna jęknęła.

– Czy będzie tyle poprawek, ile z logo?

Jan spojrzał na nią z przerażeniem.

– Joanko, najpierw musimy porozmawiać. Powiem ci, o co dokładnie mi chodzi.

– A nie moglibyśmy się spotkać gdzieś na mieście? Na przykład na kawie? – zaproponowała Joanka. Zdecydowanie wolała nie drażnić Agnieszki widokiem pana Ziętary.

A pan Ziętara był wniebowzięty, choć z drugiej strony poczuł się dość nieswojo, bo przecież to on powinien zaprosić ją na kawę.

Co za łamaga. Ofiara losu. No nic. Jeszcze się zrehabituje...

Ofiara losu zrehabilitowała się, zapraszając Joannę na kolację w piątkowy wieczór. Wyjście na kolację w piątkowy wieczór, ba, w jakikolwiek wieczór, bez dziecka było dla samotnej matki nie lada wyzwaniem. Kilimandżaro czy inny kilkutysięcznik w porównaniu z tym to pikuś.

Kogo miała poprosić, żeby został z małą? A przecież jeszcze musiała gdzieś upchnąć wyrzuty sumienia z powodu pozostawienia ukochanego dziecka na pastwę obcej osoby, nieważne jak oddanej. A takie upchane wyrzuty sumienia lubiły wyłazić bez zaproszenia w najmniej oczekiwanych momentach...

– Nie dane mi było mieć dzieci, Joanko – westchnęła ciotka Matylda zaraz po tym, gdy dowiedziała się, że Joanna jest w ciąży. Dziewczyna przybiegła, a raczej zadzwoniła z informacją, że będzie miała dziecko, oczywiście najpierw do ciotki, bo Piotr był na morzu. Jak zawsze zresztą, kiedy działo się coś ważnego. – Bardzo chciałam zostać mamą. Nie wychodziło. – Wyraźnie posmutniała. – Dlatego uważaj na siebie i pamiętaj o tych wszystkich przesądach z wieszaniem firan i takich tam... Bo czasem w mądrościach ludowych tkwi siła. Dzieci to wielki dar, ale ludzie bardzo często nie wiedzą, jak z tym darem postępować. Nie zapomnij czasem, że dziecko to też człowiek. Taki sam jak ty.

– Nie zapomnę, ciociu...

— I ten człowiek, nawet gdy liczy sobie zaledwie kilka dni czy miesięcy, również ma problemy, i to właśnie ty musisz mu pomóc je rozwiązać. Jego problemy są tak samo ważne, mimo że tobie mogą się wydawać całkiem błahe. Dlatego nie wolno ich lekceważyć. Nie zapominaj, że ty jesteś dla dziecka najważniejsza.

Ciotka jak zawsze miała rację. Joanna jak przez mgłę pamiętała szkaradną czarownicę, którą wspólnie z ojcem zrobiła z papier mâché. Tata wyciął w ziemniaku głowę z wielkim garbatym nosem i okleił ją gazetą. Gdy wyschła, wyjął ziemniak ze środka i pomalował kukiełkę. Ubranie stanowił jakiś czarny brzydki skrawek materiału. Dorobili jej włosy z wełny i założyli chustkę na głowę.

Mała Joanka była bardzo dumna z czarownicy. Zaniosła ją do przedszkola, gdzie kukiełka brała udział w przedstawieniach kukiełkowych, a w pozostałe dni stała na półce wraz z innymi lalkami. Dużo piękniejszymi od niej.

Pewnego dnia, gdy Joanka przyszła do przedszkola, okazało się, że czarownica zniknęła. Szukała po wszystkich salach, pytała przedszkolanki. Nigdzie jej nie było.

Nikt nie rozumiał rozpaczy dziewczynki. W końcu ktoś jej powiedział, że czarownica została wyrzucona razem z innymi starymi zabawkami. Jak to? Przecież to była j e j czarownica. Czarownica, która dla niej była ważna! Którą zrobiła razem z tatą!

Dla świętego spokoju wyłowiono zabawkę z kosza na śmieci. Była jeszcze brzydsza niż wcześniej. Pognieciona sukienka, powyrywane włosy z grubej włóczki – zwykła brzydka kukiełka z doczepionym kawałkiem czarnej szmatki. Poprutej na dodatek.

Dla Joanny ta kukiełka była niezwykła, a jej zniknięcie okazało się dużym problemem.

O tym właśnie mówiła ciotka Matylda. O problemach dużych i małych. O słuchaniu. O tym, że dzieci czują, myślą, marzą. Nawet te najmniejsze. I do nich również należy podchodzić z szacunkiem. Nie wolno ich lekceważyć.

Z tego powodu Joanna zawsze traktowała małą Matyldę jak człowieka. Od pierwszych chwil. Rozmawiała z nią o wszystkim, ustalała z nią ważne życiowe decyzje. Taką życiową decyzją był na przykład zakup nowego laptopa czy nowy kolor, na który chciała wymalować ściany w mieszkaniu po odejściu Piotra.

Ciągłe mówienie do córki zaowocowało tym, że Matylda, choć miała dopiero nieco ponad rok, całkiem nieźle powtarzała już niektóre wyrazy. Na pewno znała je na tyle, by się z matką zgadzać bądź nie w wielu istotnych kwestiach.

Teraz ważną kwestią było to, z kim Matylda zostanie w piątkowy wieczór.

– Ta kolacja jest oczywiście po to, żebyśmy porozmawiali o tekstach – mówiła Joanna, przewijając córkę.

– Tja – odpowiedziała rezolutnie mała.

– Kochanie, naprawdę nie powinnaś mieć wątpliwości. Wiesz, Agnieszka nie lubi Jaśka, drażni ją. Dlatego musimy się spotykać poza biurem, rozumiesz?

– Tja.

– No widzisz. Ale to służbowa kolacja, wiesz?

Matylda zaczęła się głośno śmiać. Bardzo ją to rozbawiło. W sumie każdego by rozbawiło twierdzenie, że kolacja, na którą Joanna szykuje się od tygodnia, jest tylko i wyłącznie służbowa. I każdego do łez rozśmieszyłoby to, z jakimi wypiekami Jan Ziętara czekał na ten wieczór. Służbowy oczywiście.

– Wiesz, Matyldo, chyba jednak nici z tej kolacji – oświadczyła Joanna córce. – Ilonka nie może, Oluś jest zupełnie wyłączony, bo zaniedbał sklep w Nowym Mieście i ma chyba teraz jakieś kłopoty. Nie chcę mu głowy zawracać. Więc wujek Oluś też odpada. Może po prostu zrobimy kolację i zaprosimy go do domu?

– Njeeee – odparła Matylda.

– Wiedziałam. Jeszcze nie wypada. – Zamyśliła się. – Co ja mówię? Jeszcze! Przecież skoro on ma syna, to pewnie też jest jakaś pani Ziętara.

– Njeeee – zapewniła Matylda.

– Tak, kochana, tak. Zawsze jeśli jest dziecko, musi być dwoje rodziców. No, chyba że jego żona również ogląda nunataki gdzieś na dalekiej Północy.

– Njeeeeeeee.

Joanna westchnęła.

– Chyba się dzisiaj nie dogadamy. Zaraz przychodzi babcia. Zapałała do ciebie miłością i dobrze. Masz w końcu tylko jedną babcię. – Westchnęła jeszcze raz. – Ale jej przecież nie zapytamy, czy w piątek z tobą zostanie... Nie będzie siedziała z wnuczką, aby jej synowa, jeszcze synowa, mogła się spotkać z obcym facetem. Nawet jeśli tylko w celach służbowych... – Joanka zwiesiła smutno ramiona, ale zaraz coś jej przyszło do głowy. – A może powiem, że idę do kina z koleżanką?

– Njeeee – odparła Matylda, tego dnia nad wyraz krytyczna.

– Masz rację, nie wolno kłamać – zgodziła się z córką Joanna, po czym usłyszała dzwonek do drzwi.

Zanim zdążyła podejść, Matylda już była przy drzwiach. Bieg na czworakach wychodził jej doskonale, ale nie chciała się jeszcze spionizować. No nic, na każdego przyjdzie pora.

– Cześć, niunia! – zawołała pani Grażyna, wręczając wnuczce kilka kolorowych balonów, które zaraz rozleciały się po całym przedpokoju. Matylda wybuchła perlistym śmiechem.

– Dzień dobry, Joanno. – Teściowa nastawiła najpierw jeden policzek, a potem drugi do powietrznych pocałunków. Sama też obdarowała Joannę takowymi.

Tego dnia wyjątkowo nie patrzyła synowej w oczy. Zawsze była taka dumna z siebie, z syna i ze wszystkiego wokół, a dziś stała przygaszona i blada. Po raz pierwszy w życiu wyglądała na swoje sześćdziesiąt lat.

– Joanko, mam ci coś do powiedzenia – rzekła cicho. – Rozmawiałam z Piotrem.

– Mamo, nie chcę o nim mówić...

– Spokojnie, Joanko.

Po raz drugi zdrobniła jej imię. Dziewczyna mimowolnie poczuła niepokój. Widać stało się coś złego.

– Czy ty wiesz, że Piotr wniósł sprawę o rozwód? – Pani Grażyna spojrzała jej w oczy. – Na dniach powinnaś dostać pozew.

Joanna zamarła.

– Ivalo jednak rodzi? – zapytała.

– Nie. Mój syn doszedł do wniosku, że nie nadaje się na męża i ojca. Przepraszam cię za to. – Złapała ją za rękę i mocno ścisnęła. – Bardzo cię za to przepraszam.

Joannie łzy popłynęły z oczu. Wiedziała, że to kiedyś nastąpi, wiedziała, że nie będzie już wspólnej przyszłości z Piotrem, ale oto wkrótce miała otrzymać dowód na papierze. Jej serce zadrżało.

– W porządku, mamo – rzekła szorstko, odwracając wzrok.

– Damy sobie radę. Mam nadzieję, że będziemy mogły dalej tu mieszkać?

– On wam wszystko zostawi. Tak powiedział. Ale... Ale gdybyś czegokolwiek potrzebowała, pamiętaj, że masz mnie.

Joanna chciała już zapewnić, że nie potrzebuje pomocy, lecz teściowa uciszyła ją gestem.

– Nie chcę ci zastępować matki. Nie da się i wiem o tym, ale czasem życzliwa dusza się przydaje. Jesteś młoda, możesz sobie jeszcze ułożyć życie.

– Mamo...

– Ja wiem, Joanko, że to w moich ustach trochę niestosowne. W końcu to mój syn... Kocham go i strasznie ciężko pogodzić mi się z tymi głupotami, jakie wyrabia... Sama go pchnęłam w ten świat nauki. Byłam z niego dumna, zbierałam wycinki z gazet... – Sięgnęła po torebkę i pokazała Joannie teczkę pokaźnej wielkości, po czym wyciągnęła z niej pierwszy arkusik. – To mój Piotruś. Na początku laureat olimpiady biologicznej, potem najlepsza matura, potem stypendium, staż w Oxfordzie... – Spojrzała na dziewczynę znad okularów. – Wiesz, już wtedy pisali o nim w gazetach. Tutaj są jego wszystkie artykuły. – Pokazała spiętą broszurę i westchnęła.

– W domu oglądałam to już dwukrotnie. Gdy kończyłam, wypadło to... – Podała skrawek papieru Joannie.

– Matylda? – Joanka była zdziwiona. Cotygodniowy dodatek do „Dziennika Bałtyckiego" czy innej gazety. Kilkadziesiąt miniaturowych zdjęć noworodków z trójmiejskich szpitali. Jedno ze zdjęć było podpisane: „Matylda, 4150, ur. 14 kwietnia 2007 r.".

– Wiesz, Joanko, ten wycinek był najważniejszy. – Pani Grażyna z czułością popatrzyła na Matyldę. W niczym nie przypominała surowej, zasadniczej kobiety, jaką Joanna w niej widziała. – Tak naprawdę to ona jest największym osiągnięciem mojego syna. I chciałabym, żeby była bardzo szczęśliwa. To chyba jedyne, na czym mi teraz w życiu zależy.

Joanna pociągnęła nosem. Nie znała swojej teściowej od tej strony. Ba, w ogóle jej nie znała. Może szkoda, że wcześniej jej lepiej nie poznała?

Mimo przeciwności losu świat okazał się nie całkiem zły. Chyba ciotka Matylda nad wszystkim czuwała. Joanka nie była sama. Najpierw pojawili się znikąd Oluś i Przemcio, potem Patrycja, a wraz z nią Ilonka, a teraz jeszcze teściowa pokazała ludzkie oblicze.

I rzeczywiście ciotka Matylda uśmiechała się, spoglądając w dół.

– To nie wszystko, kochanie, na tym się nie skończy – wyszeptała. – Dobry los ma dla ciebie jeszcze wiele niespodzianek. Życie jest piękne i trzeba je przeżyć w taki sposób, żeby się nim pozytywnie zmęczyć. A wtedy już można spokojnie i leniwie przypatrywać się wszystkiemu z wysoka. Prawda, Tadku? – powiedziała do męża, przytulając kotkę, która właśnie wskoczyła jej na kolana.

— Idę na kolację z Jaśkiem — wydukała Joanna w stronę zajętej rysowaniem Agnieszki.

— Mhmhm... — przytaknęła wspólniczka.

Joanna odetchnęła z ulgą, że obyło się bez komentarza, i zajęła się robotą. Wymyślała właśnie nazwę dla nowo powstającego osiedla na obrzeżach Gdańska i musiała się skupić, bo intencje klienta należało ująć w maksymalnie dwóch słowach. Pracowała już dobrych kilka chwil, gdy usłyszała wzburzone pytanie.

— Z jakim Jaśkiem?! — Do Agnieszki najwyraźniej dopiero teraz dotarł wcześniejszy komunikat. Stała przy ekspresie do kawy i patrzyła na Joankę z lekkim zdziwieniem.

Joanka oderwała się od pracy.

— Leśna Dolina, Leśny Stok, Księżycowy Zakątek, Bursztynowy Ślad... Jak to z jakim? Z Ziętarą.

— To ty już do niego „Jaśku" mówisz? Hohoho!

— No, tyle rozmawiamy... — Joanna się zająknęła.

— Dobra, dobra, nie tłumacz się. — Agnieszka się uśmiechnęła. — Też bym chciała zostać zaproszona na kolację — westchnęła. — Chyba sama męża zaproszę. Dokąd cię zabiera?

— Nie wiem... — Joanna wzruszyła ramionami. — W ogóle nie wiem kiedy. Zresztą Oluś nie może w piątek zostać z Matyldą...

— A teściowa?

— Teściowej nie pytałam.

– To dzwoń – beztrosko zaproponowała Agnieszka, zakładając słuchawki na uszy i oddalając się tam, gdzie kolor i kreska rządzą światem.

Dla Agnieszki nie było rzeczy niewykonalnych. Nie namyślała się długo, po prostu działała. Czasem na wariackich papierach, czasem zbyt szybko podejmowała decyzję, ale w konsekwencji to zawsze się opłacało. Joanna z kolei rozkładała swoje decyzje na czynniki pierwsze. Długo rozpatrywała wszystkie za i przeciw i dopiero wtedy dokonywała wyboru.

Teraz też to zrobiła. Wreszcie, zachęcona poparciem Agnieszki, sięgnęła po telefon.

– Mamo... W piątek wieczorem mam spotkanie służbowe. Wzięłabyś Miśkę do siebie? Może na noc?

Po chwili rozmowy odłożyła komórkę, wstała szczęśliwa z fotela i z radości pocałowała nieobecną duchem Agnieszkę w sam czubek głowy. Ta zdziwiona zdjęła słuchawki.

– Mam cały wieczór i noc dla siebie! – Joanka zaczęła się obracać wokół własnej osi. – Teściowa weźmie do siebie Miśkę!

– Oj, będzie się działo! – skomentowała Aga z uśmiechem.

– Pamiętaj, że od tego się w ciążę zachodzi! – Uchyliła się przed nadlatującym grubym zeszytem, otwartym na stronie z napisem Przemiły Zakątek.

Od: Joanna Kownacka

Do: Agata Em

Mam nadzieję, że pierwsze dni w Trójmieście mijają Ci sympatycznie? I że nie myślisz tylko o panach od niezapominajek... Wiesz, też miałam kiedyś takiego... Nie tylko od niezapominajek, ale od całego życia.

Wybrał sobie zamorską księżniczkę. A raczej zimną królową śniegu... I zostawił nas same, Matyldę i mnie.

Nie miałam jednak czasu się smucić, chociaż momentami ogarnia mnie tęsknota... Pomogli mi przyjaciele! Jak się spotkamy – opowiem!

Kiedy jesteś wolna? Może weekend w Gdańsku? Literacka?

To taka fajna kawiarnia przy najpiękniejszej ulicy Gdańska, na Mariackiej. Mają pyszną latte.

Joanka

Od: Agata Em

Do: Joanna Kownacka

Pyszne latte w Literackiej na Mariackiej brzmi dobrze!

Sobota, jedenasta?

Agata

Patent na rozciągnięcie doby i sztuka wyborów

Joanna była zmęczona. Permanentnie zmęczona.

Chciała być idealną matką, idealną współwłaścicielką firmy i na dodatek miała aspiracje, żeby wciąż pisać miłosne historie do tygodników. Przeglądanie u fryzjera wyświechtanych czasopism z własnymi opowiadaniami sprawiało jej tak olbrzymią satysfakcję, że nie mogła z tego zrezygnować. Rezygnowała za to ze snu, z jedzenia, z chwili dla siebie. Cały czas pracowała na wysokich obrotach, a ostatnio odnosiła nawet wrażenie, że zaczęła zaniedbywać przyjaciół.

Rano firma – pełne skupienie. Od piętnastej bycie wzorową mamą. Spacerki, książeczki, rozmowy. W przerwie zakupy, bardziej dla Matyldy niż dla siebie. Później kąpanie, usypianie i drugi etat. Siadała w miękkim głębokim fotelu z laptopem na kolanach i oddawała się marzeniom o miłości idealnej. I o tym, że każda potwora znajdzie swego amatora. Nie to, żeby była „potworą", ale los samotnej matki z dzieckiem wydawał się przesądzony. Przecież faceci nie chcieli się wiązać z takimi… Ponadto Joanka nie wyobrażała sobie, jakie walory musiałby mieć mężczyzna, żeby pozwoliła mu się ze sobą związać.

W ogóle nie miała czasu na życie towarzyskie. Coś takiego nie istniało. Ostatnio to już nawet nie wiedziała, jak się nazywa. Dobrze, że zbliżał się weekend. Wreszcie umówiła się z Agatą na kawę. Postanowiła, że weźmie ze sobą Miśkę. Choć czasem chciałaby być sama. Zupełnie sama. Przez chwilę.

Matylda podążała za nią wszędzie, nawet do łazienki. To na brzuchu, to na czworakach. Kochała małą nad życie, ale czasem każdemu należała się odrobina prywatności. Choćby w toalecie...

– Jeśli ciocia Agatka okaże się fajna – oświadczyła Matyldzie – to ją przyprowadzimy na obiad. Jeśli nie, pożegnamy się grzecznie. Czyli jak zrobimy?

– Pa, pa – oświadczyła Matylda, machając łapką.

– Dokładnie. Zrobimy wtedy pa, pa. – Joanna się uśmiechnęła. – Nie będzie nam ktoś niefajny zjadał obiadu, prawda?

– Tia – przytaknęła Matylda.

– No to lecimy. Niunia dostanie ciasteczko, a mama wypije kawę z syropem karmelowym. O matko! Nawet jeśli ta ciocia okaże się niefajna, warto dla takiej kawy wyjść z domu.

Ciocia na szczęście okazała się fajna. Smukła młoda dziewczyna w krótkiej jasnej sukience, odsłaniającej długie nogi, ciemne włosy miała związane w dwie kitki, a na szyi nosiła wisiorek z mnóstwem koralików. W ręku trzymała pluszaka, którym od razu zjednała sobie serce Miśki.

– Jakie kiteczki! – Joanka sama chciałaby takie mieć, ale pani biznesmen pewne rzeczy nie uchodzą...

– Mam jeszcze wakacje – odparła z uśmiechem Agata. – Dokładnie dwa dni, stąd te kitki. Gdańsk, Sopot, Gdynia, kitki. Aż nie chce mi się wierzyć, że ludzie tutaj pracują, a nie tylko jeżdżą na wakacje. Czy wiesz, że z naszego biura widać morze?

Joanna nie wiedziała, ale się dowiedziała. Ponadto dowiedziała się, że pan od niezapominajek odszedł w niepamięć, że Agata tak samo jak ona uwielbia kawę, że szarlotka najlepiej smakuje z lodami i że jak w restauracji chce się skorzystać z toalety, to naprawdę można dziecko zostawić na chwilę koleżance. Mimo iż zna się ją niedługo.

Dowiedziała się również, że strasznie brakowało jej zwykłego babskiego towarzystwa. Takiego niewymagającego żadnych działań. Takiego, żeby być po prostu sobą. By móc się pośmiać i pogadać.

Po dwóch kawach, kawałku ciasta i dwóch niedojedzonych przez Matyldę rurkach z kremem było oczywiste, że dalszą część dnia spędzą razem.

– Zapraszam cię na obiad – oznajmiła Joanna. – Przecież ty tu nikogo nie masz. Nie mogę cię samej zostawić!

– Ale... Ale... – broniła się nieśmiało Agata.

– Żadne „ale"! Naleśniki ze szpinakiem. Albo owocami. Lubisz?

– Uwielbiam!

– No to jedziemy.

Po pysznym obiedzie przy stole ozdobionym serwetkami i kwiatkami dziewczyny usiadły na podłodze, by spokojnie pogadać. Matylda była wniebowzięta, bardzo lubiła gości. Joanna, ku swojemu zaskoczeniu, również była wniebowzięta. A Agata? Agata się cieszyła, że w tym obcym mieście znalazła bratnią duszę. Tym bardziej, że pan od niezapominajek wyparował.

– Mamo, to ja przywiozę Miśkę od razu po pracy, dobrze?

– Jasne. Tylko weź wszystko, co potrzebne. Oprócz łóżeczka, rzecz jasna. Pożyczyłam od sąsiadki rozkładane łóżeczko.

– Super. To do zobaczenia.

No i stało się. Joanna wychodziła wieczorem, zostawiając jedyne dziecko teściowej.

– Czy tak już będzie do końca życia, że będę miała wyrzuty sumienia z powodu podrzucania komuś Matyldy? – powiedziała na głos i odebrała maila.

„Dzisiaj o 19 koło Złotej Bramy? Podjechać po Ciebie?"

Spokojnie. To nie żadna randka. To normalna rozmowa o strategii marketingowej pewnej firmy, która chce sobie lepiej radzić z konkurencją.

Ot tak. Na randki nie chadza się z facetem, który ma piętnastoletniego syna. I pewnie żonę. Chociaż o niej nic nie mówi... Hmm... A może jednak nie ma?

Joanna zmarszczyła brwi. Życie ją nauczyło ostrożności. Jeśli nawet Jan Ziętara nie ma żony, to prawdopodobnie dlatego, że pewnego pięknego dnia obejrzał się za jakąś krótką spódniczką...

– O Boże! Spódniczka! W co ja się ubiorę? – zawołała.

– Co mówiłaś? – Aga zdjęła słuchawki.

– Nie mam co na siebie włożyć – odparła Joanka zupełnie poważnie.

– I ty mówisz, że to nie randka? – Agnieszka się zaśmiała.

– Mów sobie, mów. Przede wszystkim ubierz się tak, żebyś się dobrze czuła.

– Jasne, że nie randka. On ma piętnastoletniego syna.

– A ty córkę.

– Ale on pewnie ma żonę.

– A ty męża.

– No, ale ja się właśnie rozwodzę!

– Może on też? – Agnieszka spojrzała na Joankę z uwagą i wzruszyła ramionami. – A zresztą... Każdy wagonik można odczepić. – Mrugnęła porozumiewawczo i wróciła do pracy.

– Aga! – zawołała zbulwersowana Joanka.

– No co? Kochana, ciebie też odczepiono....

Joannie to się nie podobało. Nie miała zamiaru nikogo odczepiać. Na samą myśl o czymś takim robiło jej się niedobrze i prawdę mówiąc, zupełnie jej się odechciało iść na tę kolację. Nie randkę. Kolację. Ko-la-cję! Biznesową.

Ot co.

Kolacja okazała się biznesowa do granic przyzwoitości. Strategia marketingowa firmy została omówiona, wstępna koncepcja tekstów na stronę internetową przedyskutowana. Trzeba było wracać.

– Odprowadzę cię do samochodu. – Jan zapłacił, zostawiając dość pokaźny napiwek. – Gdy byłem studentem, pracowałem w knajpach. Fatalna robota. Patrzyłem zwykle na tych gogusiowatych lalusiów, którzy odliczali pieniądze co do grosza. Łudziłem się, że coś zostawią... Nie było lekko, Ania już była w ciąży, każdy grosz się liczył.

Joanna milczała.

– Ania. Moja żona – powiedział miękko. – Odeszła sześć lat temu.

– Przykro mi – szepnęła Joanka.

– Szybko... Rak... I zostaliśmy sami.

– O Boże! Nie wiedziałam... Naprawdę bardzo mi przykro...

– A twój mąż? Nie ma nic przeciwko temu, że szlajasz się po nocy z obcymi facetami? Ja bym miał. – Uśmiechnął się.

– Mąż wybrał nunataki.

– Kogo?

– Raczej co. Nunataki. To takie góry wystające ponad lodowiec. Bada jakieś kamloty na Spitsbergenie.

– Często przyjeżdża?

– Niezbyt... Kilka dni temu wniósł sprawę o rozwód. – Jan współczująco dotknął jej dłoni. – Nie, nie – odparła z uśmiechem. – Jest okej. Kiedyś może ci opowiem. Jak na jeden wieczór to i tak za dużo...

O północy wróciła do pustego domu. Bez Matyldy to nie było to. Ale już nie wypadało dzwonić do teściowej.

Odzwyczaiła się od samotności. Odzwyczaiła się od chodzenia na randki. Tfu, jakie randki! Kolacje biznesowe. Od chodzenia na kolacje biznesowe też się odzwyczaiła... A może należało to zmienić?

No ale z drugiej strony co z Miśką? Tak ją zostawiać za każdym razem? Co to za matka, która włóczy się po nocach z nie wiadomo kim? I na dodatek podrzuca dziecko teściowej?

– O Boże, Miśka, mogłam po ciebie pojechać – szepnęła Joanna, wzięła pluszowego psiaka z łóżka Matyldy, przytuliła się do niego i zasnęła.

– Wiesz, Joanko, nawet najlepsza mama musi być trochę egoistką. Gdy ty jesteś szczęśliwa, dziecko też jest szczęśliwe – powiedziała kiedyś ciotka Matylda. – Nie byłam nigdy matką, ale wiem dużo na ten temat.

– Ciociu, jak to egoistką? Przecież tak nie można.

– Można – ucięła ciotka. – Chwila wytchnienia każdemu się należy. Trzeba mieć kogoś, komu można dziecko zostawić, żeby pobiegać boso po zielonej trawie i poprzytulać się do brzóz.

– Ja mam ciebie!

– Joanko, kiedy się urodzi twoje dziecko, mnie już nie będzie na świecie. Jasne, teraz robię wszystko, byś mądrze je wychowała, ale obawiam się, że moja pomoc ograniczy się do dobrych rad.

– Ciociu!

– Kochanie, ja nie chcę żyć wiecznie. Ja chcę umierać ze świadomością, że do końca doskonale sobie radziłam. Że byłam niezależna. O niezależności już rozmawiałyśmy. Też jest istotna. Zatem pamiętaj: egoizm, niezależność i jeszcze jedna ważna, powiedziałabym wręcz, że najważniejsza rzecz.

– Co?

– Miłość, Joanko. Miłość góry przenosi. I jest w stanie wszystko przeskoczyć. Życzę ci takiej miłości.

– A Piotr?

Ciotka pominęła to pytanie milczeniem. Miała nie najlepsze zdanie o Piotrze. A może już wtedy przeczuwała, że to nie on okaże się najlepszym rozwiązaniem dla tej pięknej dojrzałej kobiety, którą znała od urodzenia i która była dla niej wszystkim? Córką, której nigdy nie miała, i przyjaciółką, bez której nie potrafiła żyć.

Od: Joanna Kownacka
Do: Agata Em
Dziękuję Ci za weekend. Czułam się tak, jakbym znała Cię od dawna, wiesz? Po śmierci rodziców odsunęłam się od ludzi. Miałam kilkoro przyjaciół na studiach, ale to tacy sami samotnicy jak ja... Porozjeżdżali się po świecie... Później był Piotr, lecz na krótko. Teraz znów jestem sama. Oczywiście jest moja „rodzina zastępcza", czyli Oluś i Przemcio – mówiłam Ci o nich – ale z nimi nie o wszystkim można pogadać!

Mam nadzieję, że taki weekend powtórzymy jeszcze nie raz.

Daj znać, jak w nowej pracy. Cały czas trzymam kciuki.

Joanka

PS Czy myślisz, że umawianie się w trakcie rozwodu z innymi facetami jest bardzo złym pomysłem?

Od: Agata Em
Do: Joanna Kownacka
Joanko, mnie też było cudnie! Jesteście fantastyczne! W pracy fajnie, wdrażam się.

Odezwę się wieczorem.

Agata

PS Umawiaj się, umawiaj się, ile wlezie! Ja też czekam na księcia z bajki! Nie musi mieć nawet białego rumaka, może przyjechać na rowerze!

Przyjaźń i rusałka w ramionach Olusia

Joanna też potrzebowała przyjaźni. Takiej bezinteresownej, na której można polegać. Takiej, żeby zadzwonić w środku nocy i żalić się do samego rana. I takiej, żeby móc na chwilę zostawić swoje ukochane dziecko i wyjść pobiegać boso po trawie.

– Boso? Po trawie? – Agata się uśmiechnęła. – A nie lepiej pospacerować po lesie ze mną i z Matyldą?

– Żartowałam. Lepiej, lepiej. Jasiek mnie zaprosił na kawę... Znowu ma kilka pytań...

– Pytań... Taaak. – Agata pokiwała porozumiewawczo głową. – Nie ma to jak pytania czarującego klienta nad filiżanką kawy. Ale rozumiem, kochana, zaopiekuję się Matyldą. Będziemy się bawić do utraty tchu! – zapewniła, robiąc małej karuzelę w powietrzu.

Agata była już stałym gościem u dwóch uroczych pań Kownackich. Można się było zastanawiać, która z nich bardziej ją kochała. Jedna, ta mniejsza, potrzebowała energetycznej ciotki, która byłaby odskocznią od cudownej, lecz nieco za spokojnej mamusi, ta większa potrzebowała zaś przyjaźni. Po śmierci ciotki w jej życiu zrobiło się pusto. Matylda zapełniała tę pustkę w pewnym stopniu, ale to nie wystarczało. Joanna bardziej niż kiedykolwiek przedtem odczuwała swoją samotność. O miłości nie myślała, mężczyźni dla niej nie istnieli, lecz ona, zupełnie nie zdając sobie z tego sprawy, istniała dla nich.

Jan Ziętara, wprawdzie nieudolnie, ale starał się zainteresować Joankę swoją osobą. Sadził z nią kwiatki, zioła, podlewał trawę, zapraszał ją na kawę, wielokrotnie byli na kolacji, niestety, tak naprawdę nigdy nie dał Joance do zrozumienia, że jest nią zainteresowany.

No bo jak zabrać się do podrywania dziewczyny, która została porzucona dla nunataków? Poczytał sobie o tych nunatakach i prawdę mówiąc, bardzo się jej byłemu mężowi dziwił. Zimno, ciemno... Jan zdecydowanie wolał Włochy i naprawdę chciałby kiedyś tam Joankę zabrać. Miał wspaniałe wspomnienia związane z Weroną, Wenecją, romantycznymi wzgórzami Toskanii, a ona była pierwszą osobą od czasu śmierci żony, której miał ochotę to wszystko pokazać.

Jeżeli jednak będzie się zabierał do tego tak nieudolnie, to nigdy jej nie pokaże. Jego Bartek już cztery dziewczyny do domu zdążył przyprowadzić, a on? On nieustająco szukał pretekstów, by się spotkać z Joanną, i tyle. A co się stanie, jeśli preteksty się skończą?

Nic. Chyba przyjdzie do syna na korepetycje.

Doprawdy zachowywał się jak szczeniak. Kiedyś łatwiej mu to przychodziło, ale zdecydowanie wyszedł z wprawy.

Ot, życie.

– Oluś, nie musisz przychodzić wieczorem do Miśki – powiedziała Joanka, gdy Olek wpadł na chwilę do biura. Załatwiał jakieś ważne sprawy na mieście i w przerwie pomiędzy zajęciami postanowił zawitać na Zaspę, bo uznał, że „Joanki nie widział już ze sto lat".

– Dlaczego nie muszę? – zdziwił się. – Ja nie muszę, ja chcę!

– Ustaliłam z Agatą, że przyjdzie – odpowiedziała rozbawiona Joanna. – Ona też chce.

– Z Agatą, z Agatą. Odkąd ona i ten Ziętara pojawili się w twoim życiu, wcale nie masz dla mnie czasu – marudził Oluś. – A Matylda? Nie zabieraj Olusia Matyldzie! Wystarczy, że ten Ziętara zabrał mi ciebie! I zostałem samotny jak palec na tym padole łez i rozpaczy...

Joanna się roześmiała. Ciężko było wyobrazić sobie zwykle wesołego Olusia samego na padole łez, ciężko też byłoby go zabrać Matyldzie – z uwagi na gabaryty każdemu byłoby ciężko przemieścić Olusia bez osobistej zgody zainteresowanego. A w kwestii Ziętary miała zupełnie odmienne zdanie...

– Oluś, co do Ziętary, to tylko biznes... Zresztą ty przecież rusałki szukasz.

– No szukam, szukam, ale wiesz, z braku laku... – Uśmiechnął się perfidnie. Joanka trzepnęła go notesem w pieczołowicie wygoloną głowę.

– Nie bij Olusia! – Skulił się. – Ja przyjdę. Odwołaj Agatę.
Co mi tu obca baba będzie się moją chrześniaczką zajmowała?
– Oj, Oluś. Ona już swoja, nie obca...
– Swoja nie swoja, odwołaj.
– Oj, Oluś, Oluś...

Joanka zapomniała odwołać Agatę. I kiedy Oluś bawił się
w najlepsze z Matyldą, rzucając w nią serpentynami i robiąc
przy tym dużo wrzawy, Agata zapasowym kluczem otworzyła
drzwi.

– Rusałka! – zakrzyknął zdumiony Oluś.

– Pan Olgierd? – Agata pamiętała, że Oluś przywiązywał
dużą wagę do swojego imienia i nie cierpiał być nazywany
Aleksandrem.

– A ty, rusałko, jesteś Agata, tak? – zapytał wpatrzony
w nią jak w obraz.

Wyglądał nader dziwnie: siedział na podłodze, ubrany jedynie w krótkie spodenki i T-shirt, na głowie miał papiero-
wą czapeczkę urodzinową z Królewną Śnieżką, a na twarzy
pozostałości po budyniu czekoladowym. Podobnie wyglądała
Matylda, tylko że ona była bardziej umorusana. Czekoladowe
smugi znajdowały się również na parkiecie i jasnej kanapie.

– Agata – przedstawiła się rusałka, wyciągając dłoń.

– Oluś jestem. – Oluś wstał z podłogi. – No to widzę, że oboje dostaliśmy fuchę na piątkowy wieczór? – Uśmiechnął się. – Co za szefowa. Nikomu nie daje wolnego. Ani tobie, ani mnie... No nic. Trzeba ten wieczór wykorzystać!

Gdy Joanka wróciła do domu po całkiem udanej kolacji (wyłącznie biznesowej), ujrzała ciekawy widok. W pokoju dziecinnym w swoim łóżeczku spała słodko Matylda, pod łóżeczkiem równie słodko chrapał Oluś, a zaraz obok, wsparta na jego ramieniu, spała Agata.

„Nieźle to wszystko ukartowałam. – Joanka uśmiechnęła się radośnie. – Może zostanie jego rusałką?".

Nie obudziła Agaty i Olusia. Poszła do łazienki i długo przeglądała się w lustrze.

– Oczy jak kasztany? – Spojrzała wnikliwie. – Może... i ładnie wykrojone usta. – Złożyła usta w dzióbek, a zaraz potem powiedziała: – I ciepły głos. Czy mój głos jest ciepły? Ciepły głos, ciepły głos...

Rozebrała się i weszła do wanny pełnej miodowo-waniliowej piany. Coraz bardziej lubiła te biznesowe kolacje...

– Gdyby jeszcze przestały być tak bardzo biznesowe... – rozmarzyła się. – Chociaż już mniej rozmawiamy o strategii, a bardziej o życiu... I to życie staje się coraz fajniejsze...

Od: Joanna Kownacka

Do: Agata Em

Rusałko! Widzę, że pan od niezapominajek nieodwołalnie poszedł w niepamięć i pojawił się pan od rusałek? Wyglądaliście razem pięknie! Zaczynam wierzyć w happy endy...

Joanna

I wszystko się wyjaśnia.

– Agatko, czy ja mam oczy jak kasztany? – Joanna wpatrywała się w małe lusterko.

– Dla kogoś na pewno – odparła Agata z uśmiechem. – Nawet wiem dla kogo. I powiem ci, że musisz się do niego sama zabrać, bo on z tych, co to musi wiele wody w rzece upłynąć, zanim zrobią pierwszy krok. Już ten jego syn jest bardziej konkretny.

– Agata! – zawołała oburzona Joanka.

– Eee... Nie... wiesz... Ja to już jestem czyjąś rusałką.

I rzeczywiście. Oluś wymarzył sobie rusałkę, rusałka stanęła w drzwiach. I tak już zostało. Trzeba więc marzyć.

Joanka westchnęła. Wymarzyła sobie firmę, to szczęście w sprawach osobistych też sobie wymarzy.

Jej szczęście coraz bardziej przyjmowało postać Jana Ziętary i nie mogła nic na to poradzić. Może faktycznie należało wziąć sprawy w swoje ręce? Zaprosi go na imprezę firmową. A potem się zobaczy.

— Pani prezes będzie mówić! — zawołał Oluś. — Joanka na stół!

— Na jaki stół? Zwariowałeś? — Joanna się roześmiała. — Nie będę wchodzić na żaden stół!

— A przemowa będzie? — zażartował Jan Ziętara.

Agata trzymała na rękach Matyldę, a obok stał wpatrzony w nią Oluś.

— No dobra, to przemowa — zgodziła się Joanka. — Chociaż właściwie nie wiem, dlaczego ja ją muszę wygłosić, a nie Agnieszka. — Uśmiechnęła się do wspólniczki.

— Bo ty tu jesteś od gadania — odparła Aga, która ledwo co nadążała, biegając w kółko za Kacprem. — A ja od roboty! — zawołała z drugiego końca ogródka.

— No dobra — powtórzyła Joanna. — Zebraliśmy się tu po to — zaczęła pompatycznie — by świętować to, że nasza firma ma już pół roku. Wiecie wszyscy, że kocham okazje do świętowania, zatem kolejna taka okazja to woda na mój młyn. Chciałabym wam wszystkim serdecznie podziękować. Za wsparcie i w ogóle... A teraz możemy już wznieść toast! Bo przecież wszyscy właśnie po to tutaj przyszli, prawda? — Roześmiała się. — No chyba nie po to, żeby ze mną pobyć?

Jakże się myliła. Była wśród przyjaciół. Patrycja z Przemciem i dzieciakami, Oluś, który starał się stać jak najbliżej

Agaty, która, prawdę mówiąc, nie miała nic przeciw temu, Agnieszka z mężem, biegający Kacper, roześmiana Matylda. Oczywiście nie mogło też zabraknąć Jana Ziętary z synem, który – ku rozpaczy ojca – przyprowadził za rękę jakąś młodą dziewczynę.

– To wypijmy za powodzenie firmy! – Ziętara pierwszy wzniósł toast. – I za takich zadowolonych klientów jak ja!

Agnieszka jęknęła. Na szczęście nikt tego nie słyszał, wszyscy byli zajęci świętowaniem.

Nagle Oluś wstał i niczym na amerykańskich filmach, których się naoglądał dawno temu (odkąd poznał Agatę, edukował się tylko w kinie francuskim), stuknął kilkakrotnie łyżeczką w kieliszek.

– Bo my mamy dla Joanki prezent. Hm. Hm – chrząknął kilka razy.

– Prezent? – zdziwiła się Joanna. – Nie musieliście...

– To nie my – oświadczył Przemcio. – To szanowna pani starsza...

– Świeć, Panie, nad jej duszą... – dokończył jak zwykle Oluś i wręczył Joannie małą paczuszkę zapakowaną w bordowy papier i obwiązaną złotą wstążeczką. – Szanowna pani starsza nam to dała.

– Ale... – próbowała protestować Joanka.

– Przed śmiercią nam to dała i kazała obiecać, że przekażemy, gdy ci się uda – powiedział Przemcio. – Ona wiedziała, że ci się uda. Tylko nie wiedziała kiedy. My też nie wiedzieliśmy. Ale Patrycja powiedziała dzisiaj, że... że to dzisiaj.

Joanka tylko patrzyła na nich wzruszona. Patrycja się uśmiechnęła.

– Nie rozpakujesz? – zapytała.

Joanna rozsupłała wstążkę na prezencie i rozerwała papier. Spod papieru wyłoniło się atłasowe pudełeczko. W środku znajdował się dość pokaźny srebrny medalion. Otworzyła go. Na ziemię spadła karteczka i odsłoniła zdjęcie ciotki, wklejone do medalionu. Na karteczce było tylko kilka słów, napisanych pełnym zawijasów, charakterystycznym pismem Matyldy: „Wiedziałam, że ci się uda. Matylda". Joanna się uśmiechnęła. Taka wiadomość z zaświatów... Ciotka zawsze w nią wierzyła. Kiedyś przecież jej powiedziała, że ma iskrę w oku. I że jest stworzona do biznesu.

– Mama, a co to? – chciała wiedzieć Matylda, która już całkiem dobrze sobie radziła z mówieniem. Spoglądała na zdjęcie w medalionie.

– Ciocia. Twoja imienniczka.

– Imienicka? Imienicka mluga okiem – stwierdziła mała Matylda i pobiegła bawić się z Olusiem.

Joanna pogłaskała starą fotografię opuszkiem palca. Szkoda, że ciotka odeszła. Tak chciałaby jeszcze z nią porozmawiać. O tyle rzeczy zapytać. Tyloma się pochwalić. Niestety, nie mogła. Jak to kiedyś ciotka powiedziała, „czasem ktoś musi odejść, by zrobić miejsce innym". Ciotka odeszła, by zrobić miejsce Matyldzie... Ale czy musiała? Przecież mogła teraz tu być i z nimi świętować. Mogła siedzieć w bujanym fotelu, przykryta łososiowym, własnoręcznie wyszydełkowanym szalem, popijać tę swoją herbatkę z koniaczkiem i palić mentolowe cienkie papierosy. Nie musiała odchodzić.

Odeszła, żeby zrobić miejsce małej Matyldzie. A przecież znalazłoby się miejsce dla nich obu!

Joance zaszkliły się oczy. Poczuła ciepłą dłoń na swojej dłoni i zobaczyła wpatrujące się w nią pełne zrozumienia oczy.

Jasiek.

Chyba wreszcie zrozumiała, co ciotka miała na myśli. Tu nie chodziło wcale o Matyldę. Chodziło o Piotra, który odszedł, i o Jana Ziętarę, który tak nieśmiało zabiegał o jej względy.

Ma czas. Dużo czasu. Ma również wspaniałych przyjaciół.

Zacisnęła dłoń na medalionie i rozejrzała się wokoło.

Oluś biegał z rozbrykanymi dzieciakami, które roześmiane lądowały w ramionach Agaty. Patrycja co chwilę podawała gościom jakieś smakołyki. Przemcio zarządzał grillem, jak na prawdziwego mężczyznę przystało...

Uśmiechnęła się do Jana, popatrzyła mu ciepło w oczy i ścisnęła jego dłoń. Po chwili otworzyła medalion i spojrzała na pogodną twarz ciotki Matyldy.

I – mogłaby przysiąc – ciotka mrugnęła do niej okiem...

Gdańsk, 17 czerwca 2011 r.

Drodzy Czytelnicy, mam nadzieję, że *Ballada o ciotce Matyldzie* spodobała się Wam i poprawiła humor na długi czas.

Ta książka nie powstałaby, gdyby nie cztery wspaniałe kobiety, które... naprawdę mieszkały w Nowym Mieście Lubawskim: moje babcie – Jadzia Krajewska i Janka Samulewska, oraz ciocie – Ewka Węgorzewska i Magdzia Pałkowska.

Ciotka Matylda to każda z nich. Jest elegancka jak babcia Jadzia i pełna energii jak babcia Janka, pali papierosy mentolowe i wlewa „łyżeczkę" alkoholu do herbaty jak ciocia Ewka oraz – jak ciocia Magdzia – trzyma pod obrusem wspaniałe czekoladowe ptysiaczki i kocha cały świat.

Jako dziecko jeździłam do Nowego Miasta Lubawskiego na wakacje. Znajdował się tam cudowny plac zabaw z drabinkami i huśtawkami, na których mogłam bujać się aż do nieba. Pamiętam też księgarnię na rynku, należącą do szkolnego kolegi mojej mamy. (Istnieje jeszcze?). Kino w starym kościele, gdzie umiejscowiłam „biznes" Matyldy, też jest prawdziwe. Z sentymentem wspominam również pociąg z Iławy, który ze świstem zatrzymywał się na dworcu. Teraz już podobno pociągi tam nie jeżdżą...

Tylu osobom chciałabym podziękować za wspieranie mnie w pisaniu... Nie da się ich wszystkich wymienić!

Dziękuję Gosi Lorek (alter ego d u ż o młodszej Zofii Kruk z *Milaczka*) – za wsparcie we wszystkich aspektach mojego życia, oraz Ani Nitce-Siemińskiej i Ani Jarmołowskiej (one wiedzą za co).

Moim dzieciakom – Liliannie i Mateuszowi – dziękuję za wieczną inspirację.

Kamili Wyroślak – za to, że zawsze na jej zdjęciach jestem piękna!

Puszysławowi za to, że mnie grzeje wieczorami, Małgosi Kaliszczak, że mnie namówiła na kota, a pani Mirce Dikti za to, że dzięki niej go mam.

Chciałabym również wspomnieć o mailach, które dostałam od Czytelniczek i Czytelników. Naprawdę doceniam te – często intymne – listy, w których opisujecie mi swoje życie… Na wszystkie staram się odpowiadać i proszę o więcej! Zaglądajcie także na Facebooka (Facebook.pl/WITKIEWICZ) i na moją stronę www.magdalenawitkiewicz.pl. Dziękuję!

Magda Witkiewicz

Spis treści

Polecamy inne książki z serii
Babie lato

Życie trzydziestoletniej Kasi, niespełnionej aktorki Białostockiego Teatru Lalek, odmienia się nagle podczas pewnej podróży pociągiem. Zostaje dostrzeżona przez członka ekipy pracującej przy popularnym serialu *Życie codzienne*. Takiej szansy nie może zmarnować. Wkrótce zastąpi odtwórczynię głównej roli. Jak się okaże, nie tylko na planie filmowym…

Czy uczuciowa i szczera dziewczyna z Podlasia odnajdzie się w pełnym fałszu świecie mediów, celebrytów i czerwonych dywanów? Czy będzie umiała rozpoznać prawdziwą miłość?

Wielbicielom sagi *Cukiernia Pod Amorem* przypominamy pierwszą powieść Małgorzaty Gutowskiej-Adamczyk dla dorosłych czytelników. *Serenada* to pełna wdzięku i błyskotliwa zabawa konwencją komedii romantycznej, w której humor i uczucia są zmieszane w idealnych proporcjach.

Michał, dziennikarz „śledczy" lokalnego brukowca, czuje, że świat za dużo od niego wymaga. Nie dość, że po godzinach musi zbierać nowinki sportowe dla szefa, nie dość, że sąsiad pod oknem posadził pewną śmierdzącą roślinę, to jeszcze dziewczyna Michała zadecydowała, że muszą mieć psa, i to – co najgorsze – pudla… Michał jest już tym wszystkim zmęczony. Ma wrażenie, że tkwi w związku siłą przyzwyczajenia, a pies to kolejne zobowiązanie, które nie pozwoli mu odejść…

Opowiedziana z perspektywy mężczyzny zabawna historia romantyczna o związku, który przechodzi kryzys i któremu ma pomóc pewien pies.

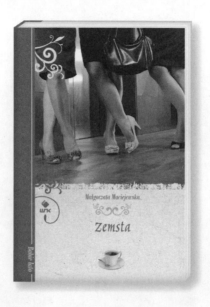

Kiedy Agata odkrywa, że jest zdradzana przez męża, decyduje się na desperacki krok. Dokładnie sprząta mieszkanie, porządkuje zawartość komputera, wkłada najlepszą sukienkę i… wyskakuje przez okno. Wtedy do akcji wkraczają wieloletnie przyjaciółki zmarłej – z tą zgraną paczką nikt nie wygra, a już na pewno nie wiarołomny mąż i jego kochanka. Kobiety przygotowują plan odwetu i nie spoczną, póki winowajcy nie zostaną przykładnie ukarani…

Pełna humoru powieść Małgorzaty Maciejewskiej opowiada nie tylko o zdradzie i zemście, ale przede wszystkim o sile kobiecej przyjaźni.

Izabela Sowa

Zielone
jabłuszko

Połowa lat osiemdziesiątych. Polska pogrążona w kryzysie i szarej beznadziei. Ania Kropelka mieszka z prababcią, babcią, dziadkiem i kotem Dziurawcem w małym, cichym, trochę nudnym miasteczku. Każdy tutaj żyje życiem innych i marzy o ucieczce za ocean, ale niewielu decyduje się na ten krok. Wolą czekać na cud. Tylko mamie Ani się udało. Jednak Ania nie chce wyjeżdżać. Kocha swoje miejsce na ziemi.

Sentymentalna podróż do czasów, kiedy każde mieszkanie zdobiła meblościanka, w supersamach walczyło się o frykasy na kartki, a na listach przebojów królowała Sabrina i tylko uczucia były takie jak dziś. Przyjaźń i miłość tak samo słodkie, a rozczarowanie i odrzucenie – gorzkie.

Karolina Święcicka
Lalki

Kiedy Monika, ambitna bizneswoman, zostaje matką, postanawia zmienić swój system wartości. Chce się skupić na wychowywaniu dziecka, poświęcić rodzinie i przestać żyć w ciągłym pędzie. Okazuje się jednak, że domowa codzienność to wcale nie beztroska zabawa z córką i delektowanie się każdą minutą, lecz ciężka praca na pełen etat i regularne nadgodziny. Na dodatek ukochany mąż zdaje się nie dostrzegać problemu…

Odskocznią od monotonii i ratunkiem przed nieustannym zmęczeniem staje się nowa pasja.

Jaki wpływ na życie młodej matki może mieć otrzymana od tajemniczej sąsiadki… lalka?

Karolina Święcicka z humorem przedstawia blaski i cienie macierzyństwa. Ale zagłębia się też w bardziej mroczne rejony ludzkiej duszy.

Powroty bywają niełatwe, zwłaszcza powroty do małego miasteczka, z którego się kiedyś uciekło. Asia wie o tym aż za dobrze, dlatego zamierza przejąć spadek po ciotce najszybciej, jak się da. Okazuje się jednak, że oprócz mieszkania odziedziczyła wścibską sąsiadkę, przystojnego notariusza, a także bardzo nieśmiałego kota i garść rodzinnych tajemnic…

Ta wbrew pozorom całkiem niebanalna „historia miłosna" została nagrodzona w konkursie literackim Wydawnictwa „Nasza Księgarnia". Dzięki żywemu językowi, błyskotliwemu poczuciu humoru oraz wyrazistym bohaterom wciąga od pierwszej strony.

Ina ma obiecującą pracę, kochających rodziców, wspaniałych przyjaciół... i nieślubne dziecko. A wbrew temu, co pokazuje telewizja śniadaniowa, nie wszystkie kobiety są idealnymi matkami. Porzucona przez przystojnego prezentera telewizyjnego dziewczyna musi okiełznać nie tylko wrzeszczące niemowlę, lecz także nadgorliwą matkę i pełnych dobrych chęci znajomych, którzy usiłują ją wyswatać (podsuwając a to sadownika z aspiracjami, a to tancerza z kompleksami). Ina broni się rękami i nogami przed nową miłością. Ale czy rzeczywiście już nigdy nie będzie myśleć o niebieskich migdałach?

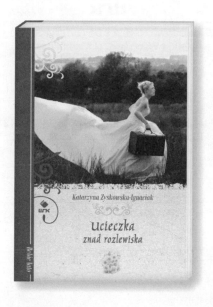

Katarzyna Zyskowska-Ignaciak

Ucieczka
znad rozlewiska

Wszyscy marzą o przeprowadzce na prowincję. Tak, ja też utwierdzałam się w tym przekonaniu. Czytałam o kobietach budujących drewniane domki w urokliwych zakątkach i dziedziczących dworki wśród sosen. Co z tego, że dworek okazywał się ruiną, a romantycznym bohaterkom deszczówka lała się na głowę?

Frania ma dość sennego, ślicznego i nudnego Kazimierza, zrzędliwej matki nauczycielki oraz przewidywalnego do bólu narzeczonego. Gdy się dowiaduje, że jej starsza siostra nie jest wcale taka idealna, na jaką wygląda, ucieka sprzed ołtarza i łapie okazję do Warszawy. Tylko czy warszawskie kolorowe dni Frani naprawdę przyniosą jej szczęście?

wnk

Wydawnictwo NASZA KSIĘGARNIA Sp. z o.o.
02-868 Warszawa, ul. Sarabandy 24c
tel. 22 643 93 89, 22 331 91 49,
faks 22 643 70 28
e-mail: wnk@wnk.com.pl

Dział Handlowy
tel. 22 331 91 55, tel./faks 22 643 64 42
Sprzedaż wysyłkowa: tel. 22 641 56 32
e-mail: sklep.wysylkowy@wnk.com.pl
www.wnk.com.pl

Książkę wydrukowano na papierze
Creamy Hi Bulk 60 g/m² wol. 2,4.

zing

Redaktorzy prowadzący *Katarzyna Piętka, Anna Słowik*
Opieka merytoryczna *Magdalena Korobkiewicz*
Redakcja *Julia Celer*
Korekta *Roma Sachnowska, Monika Hałucha*
Opracowanie DTP, redakcja techniczna *Joanna Piotrowska*

ISBN 978-83-10-12235-3

PRINTED IN POLAND

Wydawnictwo „Nasza Księgarnia", Warszawa 2013 r.
Wydanie pierwsze
Druk: Opolgraf SA